W9-CBY-140

普 通 高 中 教 科 书

化学

必 修

第一册

人民教育出版社　课程教材研究所
化学课程教材研究开发中心　编著

人民教育出版社
·北京·

总 主 编：王 晶 郑长龙

本册主编：王 晶 毕华林
副 主 编：冷燕平 乔国才
编写人员：王 晶 乔国才 李 俊 吴海建
　　　　　周业虹 钟晓媛（以姓氏笔画为序）
责任编辑：乔国才
美术编辑：李宏庆

普通高中教科书 化学 必修 第一册

人民教育出版社 课程教材研究所
化学课程教材研究开发中心 编著

出　　版　人民教育出版社
　　　　　（北京市海淀区中关村南大街 17 号院 1 号楼　邮编：100081）
网　　址　http://www.pep.com.cn
重　　印　山东出版传媒股份有限公司
发　　行　山东新华书店集团有限公司
印　　刷　山东新华印刷厂潍坊厂
版　　次　2019 年 6 月第 1 版
印　　次　2021 年 6 月山东第 3 次印刷
开　　本　890 毫米 ×1240 毫米　1/16
印　　张　8
插　　页　1
字　　数　179 千字
书　　号　ISBN 978-7-107-33574-7
定　　价　9.68 元（上光）

版权所有·未经许可不得采用任何方式擅自复制或使用本产品任何部分·违者必究
如发现内容质量问题，请登录中小学教材意见反馈平台：jcyjfk.pep.com.cn
山东出版传媒股份有限公司教材中心售后服务电话：0531–82098188

教材中设置的主要栏目及说明

【实验X-X】

针对相关内容设置的实验，可教师演示、边讲边做或学生自己完成

科学史话

有关化学家、化学史料和化学发现等的拓展性内容

探究

体现探究过程和思路的活动，以实验为主，兼顾其他形式

科学·技术·社会

有关科学、技术、社会和环境等的拓展性内容

实验活动

课程标准中要求的"学生必做实验"

资料卡片

与学习内容相关的背景、解释和常识等拓展性资料

思考与讨论

与学习内容相关、有思考性的问题，需要独立思考后相互讨论

化学与职业

与化学相关职业的特点、工作内容和知识背景等的简介

方法导引

呈现科学研究、化学学习等过程中常用的一般方法

信息搜索

拓展学习内容的信息搜索方向及检索渠道

练习与应用

针对每节内容，依据课程标准中的学业要求编制的习题

研究与实践

拓展学习内容的课题、项目研究和实践活动

整理与提升

针对各章内容，从提升认识和观念的角度进行的归纳与总结

复习与提高

针对各章内容，依据课程标准中的学业要求编制的复习题

目录

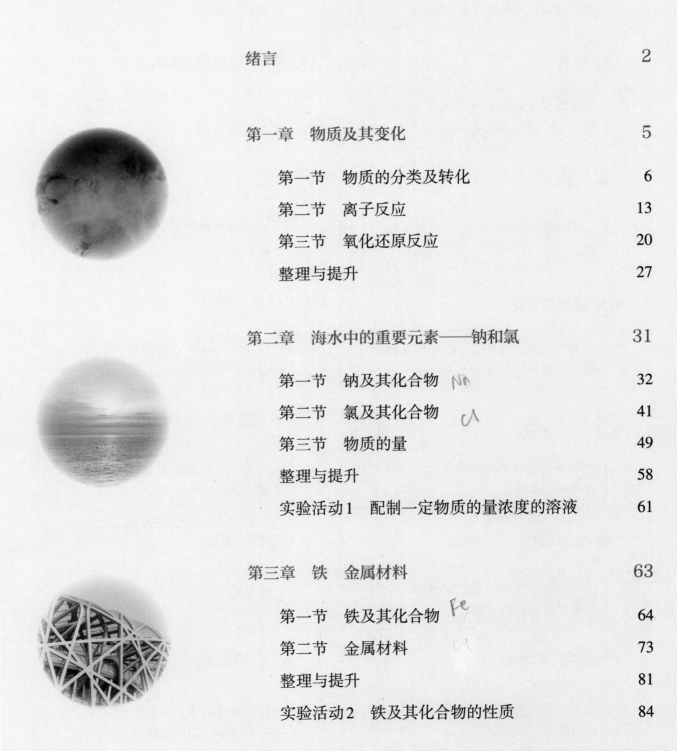

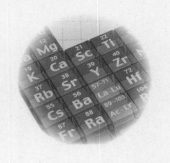

绪言

化学是在原子、分子水平上研究物质的组成、结构、性质、转化及其应用的基础自然科学。它源自生活和生产实践，并随着人类社会的进步而不断发展。

从石器时代到青铜器时代，再到铁器时代，人们学会了用陶土烧制陶瓷，用矿石冶炼金属，创造了光辉灿烂的古代文明。作为四大文明古国之一，我国是世界上发明陶瓷、冶金、火药、造纸、酿造和印染等较早的国家。在长期的生活和生产实践中，人们积累了大量有关物质及其变化的实用知识和技能。例如，我国明代李时珍（1518—1593）的《本草纲目》和宋应星（1587—约1666）的《天工开物》等著作中，都蕴含着丰富的化学知识和经验，当时的化学还处于孕育和萌芽状态。17世纪中叶以后，化学开始走上以科学实验为基础的发展道路。在后来的200多年里逐渐形成了独立的学科体系。科学的元素概念、燃烧的氧化学说、原子和分子学说等奠定了近代化学的基础。19世纪中叶元素周期律的发现，分子结构学说的提出，以及20世纪初以来原子结构奥秘的逐步揭示，使人

英国化学家
波义耳
R.Boyle
（1627—1691）

1661年提出元素的概念，标志着近代化学的诞生。

法国化学家
拉瓦锡
A.-L.Lavoisier
（1743—1794）

1774年提出燃烧的氧化学说，使近代化学取得了革命性的进展。

英国科学家
道尔顿
J.Dalton
（1766—1844）

1803年提出原子学说，为近代化学的发展奠定了坚实的基础。

意大利科学家
阿伏加德罗
A.Avogadro
（1776—1856）

1811年提出分子学说，使人们对物质结构的认识发展到一个新的阶段。

俄国化学家
门捷列夫
Д.И.Менделеев
（1834—1907）

1869年发现元素周期律，使化学的研究变得有规律可循。

1650   1700   1750   1800   1850   1900 年

图1　近代化学发展的几个重要里程碑

们对物质及其变化本质的认识发生了飞跃。无机化学、有机化学、物理化学、分析化学和高分子化学等分支学科相继建立，化学研究的领域和视野更加开阔，化学之树更加枝繁叶茂。

今天的化学，在社会不断进步和科学技术迅猛发展的背景下，其传统的研究领域出现了分化与综合，与其他学科形成交叉和相互渗透，成为自然科学领域中一门"中心的、实用的和创造性的"基础科学。在资源、材料、健康、环境等领域，化学发挥着越来越重要的作用。例如，对于材料问题，无论是依据组成分类的金属材料、无机非金属材料、合成高分子材料和复合材料等，还是按照功能分类的航空航天材料、电子信息材料、新型能源材料、生物医用材料和智能材料等，它们的研制和开发都是以研究和优化物质的组成、结构和性能为基础的，这些都需要化学工作者的智慧与贡献。化学变化是自然界中物质变化的一种基本形式，源于人们自身生存和发展需要的化学研究，一定会为社会创造更多物质财富和精神财富，为满足人类日益增长的美好生活需要及社会可持续发展作出更大的贡献。

20世纪以来，经过几代化学家的不懈努力，我国的化学基础研究和以化学为依托的化学工业获得了长足的发展。1943年，侯德榜发明联合制碱法，为我国的化学工业发展和技术创新作出了重要贡献。1965年，我国科学家在世界上第一次用化学方法合成了具有生物活性的蛋白质——结晶牛胰岛素，20世纪80年代，又在世界上首次用人工方法合成了一种具有与天然分子相同的化学结构和完整生物活性的核糖核酸，为人类揭开生命奥秘作出了贡献。21世纪以来，我国化学科学与技术的发展更加迅速，在基础研究领域和经济发展中都取得了许多有影响力的成果，为建设

图2 一种利用有机发光材料制造的显示屏

图3 污水处理厂

牛胰岛素晶体

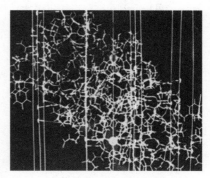

牛胰岛素分子结构模型

图4 我国建成的具有世界先进水平的煤间接液化示范项目（400万吨/年）

图5 牛胰岛素晶体及其分子结构模型

创新型国家作出了重要贡献。例如，依靠科技创新，我国已掌握了世界先进水平的炼油全流程技术，形成了具有自主知识产权的石油化工主体技术，目前石油化工约占我国国民生产总值的20%，已经成为国民经济的基础和支柱产业。

将宏观与微观联系起来研究物质及其变化是化学的特点和魅力所在。当进行化学实验时，我们可了解物质的颜色、水溶性、溶液的导电性，是否可以与氧气、水等其他物质发生化学反应，以及反应产生的各种现象，这些都展示了物质及其变化美妙的宏观世界。当跨越肉眼、光学显微镜的识别界限和研究尺度，从分子、原子水平去认识这些变化时，我们感受到的则是一个更加神奇的微观世界。这一微观世界是真实存在的，也是能够被认识的。正像我们从远处看来连绵不断的沙丘，在近处会发现它们是由无数砂粒组成的。化学则进一步告诉我们，每一颗砂粒的主要成分都是二氧化硅，二氧化硅中的氧原子和硅原子之间是以共价键结合在一起的。对宏观物质及其变化的记录与描述，对微观粒子运动和相互作用的解释和说明，都离不开科学仪器、设备等研究手段，离不开化学用语、符号、公式、图示等表达方式。化学发展史启示我们，研究物质的化学变化应当注重宏观与微观、定性与定量、描述与推理等方面的结合，应当学会实验与探究、归纳与演绎、分析与综合等方法的运用。

与其他自然科学一样，实验和理论是学习化学的两种重要途径。与初中化学相比，高中化学实验会更深入、更丰富，理论研究会更系统、更全面。通过高中化学实验探究物质的性质和变化、组成与结构等，可以帮助我们形成基本概念，理解化学原理，学习科学方法，培养科学态度。高中化学理论主要包括有关物质变化和物质结构的原理，前者涉及化学反应类型（如离子反应、氧化还原反应、取代反应、加成反应等）、化学反应与能量变化、化学反应速率、化学平衡，等等；后者包括原子结构、元素周期表和周期律、化学键和分子结构，等等。坚持实验和理论并重，有利于我们在宏观与微观相结合的层次上提升对物质及其变化的认识水平。

作为现代社会的一员，学好化学将帮助你找到分析问题、解决问题的新途径，获得从化学视角认识物质世界的基本能力，理解社会可持续发展赋予化学的使命，培养科学精神和社会责任，形成化学学科核心素养。

愿高中化学课程与你共同开启一段探索物质世界的新旅程！

第一章
物质及其变化

- 物质的分类及转化
- 离子反应
- 氧化还原反应

　　世界是由物质构成的，目前人类发现和合成的物质已超过1亿种。对于这么多的物质和更为丰富的化学变化，人们是怎样认识和研究的呢？

　　分类是认识和研究物质及其变化的一种常用的科学方法。通过分类，可以将纷繁复杂的物质分成不同的类别，还可以从离子、电子等微观视角揭示化学反应的规律。依据物质类别和元素价态，可以解释和预测物质的性质，设计物质间的转化途径。

将 $CuCl_2$ 溶液滴入 $NaOH$ 溶液中形成的蓝色絮状 $Cu(OH)_2$ 沉淀（微距拍摄）

第一节
物质的分类及转化

图书馆中数不胜数的图书要分类陈列以便于人们查找，快递企业对数以千万计的物品要分类处理以提高工作效率。同样，为了认识和研究的方便，对于数以千万计的物质，人们常根据物质的组成、结构、性质或用途等进行分类。

图1-1　图书馆中分类陈列的图书

图1-2　智能机器人正在对快递物品进行分拣

一、物质的分类

1. 根据物质的组成和性质分类

任何物质都是由元素组成的，根据元素组成对物质进行分类是化学研究的基础。

同素异形体　allotrope

每一种元素都可以形成单质。有的单质有多种形态，如金刚石、石墨和C_{60}都属于碳单质。像这样，由同一种元素形成的几种性质不同的单质，叫做这种元素的同素异形体。例如，金刚石、石墨和C_{60}是碳元素的同素异形体；氧气和臭氧（O_3）是氧元素的同素异形体；等等。

绝大多数元素都能与其他元素形成化合物。不同的元素在形成化合物时，可以按照一定的规律，以不同的方式进行组合。就像26个英文字母可以组成数十万个英语单词那样，一百多种元素则组成了种类繁多的物质。

图1-3所示是根据物质的组成对物质进行分类的一种方法，形象地称为树状分类法。

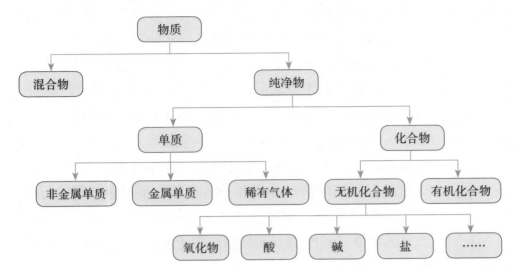

图1-3 树状分类法举例

人们有时还采用交叉分类法，从不同的角度对物质进行分类。例如，从组成来看，Na_2CO_3属于盐。从其组成的阳离子来看，属于钠盐；而从其组成的阴离子来看，则属于碳酸盐（如图1-4）。

除了物质的组成，物质的性质也是对物质进行分类常用的依据。例如，CO_2、SO_3等能与碱反应生成盐和水，这类氧化物称为酸性氧化物。多数酸性氧化物能溶于水，与水化合生成酸。而CaO、Fe_2O_3等能与酸反应生成盐和水，这类氧化物称为碱性氧化物。（大多数非金属氧化物属于酸性氧化物，而大多数金属氧化物则属于碱性氧化物。）

此外，物质的结构和用途也是对物质进行分类的重要依据，我们在今后的学习中将进一步探讨。

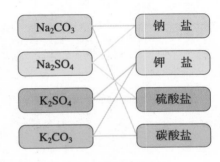

图1-4 交叉分类法举例

酸性氧化物　acidic oxide
碱性氧化物　basic oxide

---

⑤ 方法导引

分类

分类是根据研究对象的共同点和差异点，将它们区分为不同种类和层次的科学方法。科学的分类能够反映事物的本质特征，有利于人们分门别类地进行深入研究。

分类有一定的标准，根据不同的标准，人们对研究对象进行不同的分类。在高中化学的学习中，对物质及其变化的分类标准将从物质的组成和性质等宏观视角，拓展到物质的构成、结构和参加化学反应的粒子等微观视角。

运用分类的方法，可以发现物质及其变化的规律，预测物质的性质及可能发生的变化。

2. 分散系及其分类

我们在初中学过的溶液、乳浊液和悬浊液都是混合物，这些混合物都是由一种物质分散到另一种物质中形成的。化学上把一种（或多种）物质以粒子形式分散到另一种（或多种）物质中所形成的混合物，叫做分散系。分散系中被分散成粒子的物质叫做分散质，另一种物质叫做分散剂。例如，对溶液来说，溶质是分散质，溶剂是分散剂，溶液是一种分散系。乳浊液和悬浊液也各是一种分散系，其中被分散成小液滴或固体小颗粒的物质是分散质，液体是分散剂。

我们可以根据分散质粒子的直径大小对分散系进行分类。分散质粒子的直径小于 1 nm 的是溶液，大于 100 nm 的是乳浊液或悬浊液，而分散质粒子的直径为 1~100 nm 的分散系是胶体。

胶体的种类很多，按照分散剂的不同，可分为液溶胶、气溶胶和固溶胶。分散剂是液体的，叫做液溶胶，如 $Fe(OH)_3$ 胶体；分散剂是气体的，叫做气溶胶，如云、雾；分散剂是固体的，叫做固溶胶，如有色玻璃。有些液溶胶是透明的，用肉眼很难与溶液相区分。那么，用什么方法能够将它们区分开呢？

🧪 【实验1-1】 🥽 ⚠️ ⚠️ 🧴

取两个 100 mL 小烧杯，分别加入 40 mL 蒸馏水和 40 mL $CuSO_4$ 溶液。将烧杯中的蒸馏水加热至沸腾，向沸水中逐滴加入 5~6 滴 $FeCl_3$ 饱和溶液。继续煮沸至液体呈红褐色，停止加热。观察制得的 $Fe(OH)_3$ 胶体。

把盛有 $CuSO_4$ 溶液和 $Fe(OH)_3$ 胶体的烧杯置于暗处，分别用红色激光笔照射烧杯中的液体，在与光束垂直的方向进行观察，并记录现象。

CuSO₄溶液　　　　　　　　　Fe(OH)₃胶体

图1-5　光束通过溶液和胶体时的现象

分散系　dispersion system
胶体　colloid

ⓘ 提示

与实验有关的图标及说明

图标	说明
护目镜	进行化学实验需要佩戴护目镜，以保护眼睛
洗手	实验结束后，离开实验室前需用肥皂等清洗双手
用电	实验中会用到电器。禁止湿手操作，实验完毕应及时切断电源
排风	实验中会用到或产生有害气体，或产生烟、雾。应开启排风管道或排风扇
热烫	实验中会遇到加热操作，或用到温度较高的仪器。应选择合适的工具进行操作，避免直接触碰
明火	实验中会用到明火。要正确使用火源，并束好长发、系紧宽松衣物
锐器	实验中会用到锋利物品。应按照实验操作使用，避免锐器指向自己或他人，防止扎伤或割伤

当光束通过 $Fe(OH)_3$ 胶体时，可以看到一条光亮的"通路"，而光束通过 $CuSO_4$ 溶液时，则看不到此现象。这条光亮的"通路"是由于胶体粒子对光线散射（光波偏离原来方向而分散传播）形成的，叫做丁达尔效应。丁达尔效应可被用来区分胶体和溶液。

丁达尔效应在日常生活中随处可见。例如，当日光从窗隙射入暗室，或者光线透过树叶间的缝隙射入密林中时，都可以观察到丁达尔效应；放电影时，放映机到银幕间光柱的形成也是因为丁达尔效应。

图1-6 树林中的丁达尔效应

📄 资料卡片

丁达尔效应

丁达尔效应因英国物理学家丁达尔（J.Tyndall，1820—1893）于1869年发现而得名。当光束通过胶体时，看到的光柱是被胶体粒子散射的现象，并不是胶体粒子本身发光。可见光的波长为 400~760 nm，胶体粒子的直径为 1~100 nm，小于可见光的波长，能使光波发生散射；溶液也发生光的散射，但由于溶液中粒子的直径小于 1 nm，散射极其微弱。所以，当光束通过胶体时可观察到丁达尔效应，而通过溶液时则看不到这种现象。

二、物质的转化

通过对物质进行分类，我们可以更好地认识某类物质的性质，以及不同类别物质之间的转化关系，进而利用物质的性质和物质之间的转化关系，制备人类生活和生产所需要的新物质。

1. 酸、碱、盐的性质

同类物质往往具有相似的性质。例如，通过初中化学的学习，我们已经知道盐酸、硫酸等酸，NaOH、$Ca(OH)_2$ 等碱，Na_2CO_3、K_2CO_3 等碳酸盐各具有相似的化学性质。

（1）酸的主要化学性质归纳如下，请列举反应实例，完成下表。

酸的主要化学性质	反应实例（写出化学方程式）
酸与活泼金属反应	
酸与碱性氧化物反应	
酸与碱反应	
酸与某些盐反应	

（2）请分别归纳碱和盐这两类物质的主要化学性质。

（3）讨论：酸、碱、盐的主要化学性质中，涉及哪些反应类型？

为什么不同的酸（或碱）具有相似的化学性质？是因为它们在组成上具有相似性。从微观角度来看，不同的酸溶液中都含有 H^+，不同的碱溶液中都含有 OH^-。不同的碳酸盐溶液中都含有碳酸根离子，所以不同的碳酸盐也具有相似的化学性质。

从反应类型来看，初中我们学过的酸与金属、盐与金属的反应都属于置换反应，酸与碱、盐与酸、盐与碱、盐与盐之间的反应都属于复分解反应。

2. 物质的转化

根据物质的组成和性质，通过化学变化可以实现物质之间的转化。在化学变化过程中，元素是不会改变的，这是考虑如何实现物质之间的转化时最基本的依据。

思考与讨论

（1）写出下列物质之间转化的化学方程式，体会由金属单质到盐、非金属单质到盐的转化关系。

$$Ca \rightarrow CaO \rightarrow Ca(OH)_2 \rightarrow CaSO_4$$

$$C \rightarrow CO_2 \rightarrow H_2CO_3 \rightarrow CaCO_3$$

（2）对于上述转化关系，从物质分类的角度看，你发现了什么规律？将你的想法与同学交流。

可以看出，对于Ca、C而言，单质到盐的转化关系可表示为：

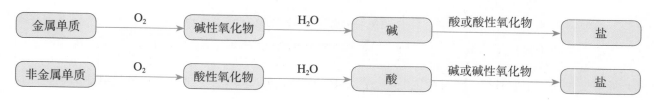

图1-7 单质到盐的一种转化关系

根据物质的组成和性质，以及物质之间的转化关系，我们可以确定制取某类物质的可能方法。例如，要想制取某种碱，通常可以采取两种方法：碱性氧化物与水发生反应；盐与另一种碱发生反应。

在工业生产中要制取某种物质，除了要考虑反应进行的可能性，还要考虑原料来源、成本高低和设备要求等因素，以选取最适当的方法。例如，工业上制取NaOH一般不采用Na_2O与H_2O的反应（Na_2O作为原料，来源少、成本高），而主要采用电解饱和食盐水的方法，过去也曾采用盐（如Na_2CO_3）与碱［如$Ca(OH)_2$］反应的方法。

🧪 化学与职业

化学科研工作者

化学科研工作者是指从事与化学有关的基础研究和应用研究的专业技术人员。其主要工作是：在原子、分子水平上研究物质的组成、结构、性质及相互关系；研究物质转化的规律和控制手段；在此基础上，研究如何实现物质的人工转化，以及如何对生活、生产和生命中的化学过程实现按需调控；等等。例如，具有特定功能（如催化作用）的新分子的合成、安全高效和节能环保物质转化工艺的研发等。这些工作不仅与经济发展、社会进步关系密切，而且是材料、生命、环境、能源和信息等现代科学技术发展的重要基础。

对科研工作具有浓厚的兴趣，具备扎实的化学专业知识和技能，掌握系统的科学研究方法，善于思考，敢于质疑，具有创新精神等是成为化学科研工作者的必要条件。化学科研工作者的就业单位很多，如高等院校、研究机构和相关企业等。化学科研工作者在推动人类社会可持续发展中必将发挥越来越重要的作用！

图1-8 化学科研工作者

1. 阅读下列科普短文并填空。

　　燃料电池是一种化学电池，具有能量转化率高、对环境友好等优点。例如，氢氧燃料电池在工作时，从负极连续通入$\underset{①}{H_2}$，从正极连续通入$\underset{②}{O_2}$，二者在电池内部（含有$\underset{③}{H_2SO_4}$或$\underset{④}{KOH}$等物质的溶液）发生反应生成$\underset{⑤}{H_2O}$，同时产生电能。除了H_2，$\underset{⑥}{CH_4}$、$\underset{⑦}{C_2H_5OH}$等也可以作为燃料电池的燃料。目前已研制成功$\underset{⑧}{Al}$-$\underset{⑨}{空气}$燃料电池，它可以代替$\underset{⑩}{汽油}$为汽车提供动力，也可以用作照明电源等。

（1）在上述短文标有序号的物质中，属于混合物的是＿＿＿＿（填序号，下同）；属于氧化物的是＿＿＿＿；属于酸的是＿＿＿＿；属于碱的是＿＿＿＿；属于有机物的是＿＿＿＿。

（2）从物质的类别来看，H_2、O_2和Al都属于＿＿＿＿；请写出与O_2互为同素异形体的物质的化学式：＿＿＿＿。

2. 请从不同的角度对下列5种酸进行分类：盐酸（HCl）、硫酸（H_2SO_4）、硝酸（HNO_3）、磷酸（H_3PO_4）和氢硫酸（H_2S），并说出分类的依据。

3. 完成下列表格。

分散系	分散质粒子的直径大小	举例
溶液		
胶体		
乳浊液或悬浊液		

4. 当光束通过下列物质时，不会出现丁达尔效应的是（　　　　）。

①$Fe(OH)_3$胶体　②水　③蔗糖溶液　④$FeCl_3$溶液　⑤云、雾

　A. ②④⑤　　　　　　　B. ③④⑤　　　　　　　C. ②③④　　　　　　　D. ①③④

5. 从Zn、$BaCl_2$、$NaOH$、$KClO_3$、$CuCl_2$、Na_2SO_4、Na_2O、H_2O、H_2SO_4等物质中，选出适当的物质，按下列要求写出化学方程式。

（1）化合反应　　　　　（2）分解反应　　　　　（3）置换反应　　　　　（4）复分解反应

6. 写出下列物质之间转化的化学方程式。

（1）$Cu \rightarrow CuO \rightarrow CuSO_4 \rightarrow Cu(OH)_2 \rightarrow CuSO_4 \rightarrow Cu$。

（2）$C \rightarrow CO_2 \rightarrow CaCO_3 \rightarrow CaO \rightarrow Ca(OH)_2 \rightarrow CaCl_2$。

7. 采用不同方法制取下列物质，并写出反应的化学方程式。

（1）以Fe、CuO、H_2SO_4三种物质为原料，用两种方法制取Cu。

（2）用三种方法制取$MgCl_2$。

8. 许多食品包装袋中常有一个小纸袋，内盛白色固体物质，标有"干燥剂"字样，其主要成分为生石灰。

（1）写出生石灰的化学式。生石灰属于哪一类别的物质？

（2）生石灰为什么可用作干燥剂（用化学方程式表示）？

（3）生石灰可以与哪些类别的物质发生化学反应？请列举两例，并写出反应的化学方程式。

（4）在你学过的物质中，还有哪些物质可用作干燥剂？

第二节
离子反应

在我们学过的化学反应中，有许多是在水溶液中进行的，如酸、碱、盐之间的反应。那么，酸、碱、盐溶于水后发生了什么变化？水溶液中这些物质之间的反应有什么特点呢？

一、电解质的电离

生活常识告诉我们，给电器设备通电时，湿手操作容易发生触电事故。这是为什么呢？

【实验1-2】

在三个烧杯中分别加入干燥的 $NaCl$ 固体、KNO_3 固体和蒸馏水，如图1-9所示连接装置，将石墨电极依次放入三个烧杯中，分别接通电源，观察并记录现象。

取上述烧杯中的 $NaCl$ 固体、KNO_3 固体各少许，分别加入另外两个盛有蒸馏水的烧杯中，用玻璃棒搅拌，使固体完全溶解形成溶液。如图1-9所示，将石墨电极依次放入 $NaCl$ 溶液、KNO_3 溶液中，分别接通电源，观察并记录现象。

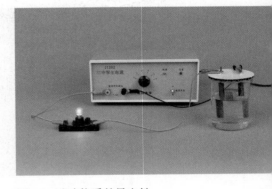

图1-9 试验物质的导电性

实验表明，干燥的 $NaCl$ 固体、KNO_3 固体都不导电，蒸馏水也不导电[①]。但是，$NaCl$ 溶液、KNO_3 溶液却都能够导电。

结合初中做过的物质导电性实验，我们知道盐酸、$NaOH$ 溶液、$NaCl$ 溶液等都能导电。不仅如此，如果将 $NaCl$、KNO_3、$NaOH$ 等固体分别加热至熔化，它们也都能导电。这种在水溶液里或熔融状态下能够导电的化合物叫做**电解质**。

电解质　electrolyte

---

① 严格地说，蒸馏水也能导电，只是导电能力非常弱，用上述实验装置不能测出。

HCl、H₂SO₄、NaOH、Ca(OH)₂、NaCl、KNO₃ 等 都 是 电解质。

人的手上常会沾有NaCl（汗液的成分之一），有时也会沾有其他电解质，当遇到水时，形成电解质溶液。电解质溶液能够导电，因此，湿手直接接触电源时容易发生触电事故。

为什么NaCl、KNO₃等电解质，在干燥时不导电，而溶于水或熔化后却能导电呢？

我们知道，电流是由带电荷的粒子按一定方向移动而形成的。因此，能导电的物质必须具有能自由移动的、带电荷的粒子。电解质的水溶液（或熔化而成的液体）能够导电，说明在这些水溶液（或液体）中，存在着能自由移动的、带电荷的粒子。

例如，NaCl固体中含有带正电荷的钠离子（Na⁺）和带负电荷的氯离子（Cl⁻），由于带相反电荷的离子间的相互作用，Na⁺和Cl⁻按一定规则紧密地排列着。这些离子不能自由移动，因而干燥的NaCl固体不导电（如图1-10）。

当将NaCl固体加入水中时，在水分子的作用下，Na⁺和Cl⁻脱离NaCl固体的表面，进入水中，形成能够自由移动的水合钠离子和水合氯离子（如图1-11）。

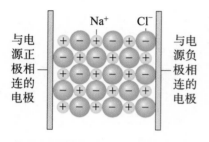

图1-10 干燥的NaCl固体不导电

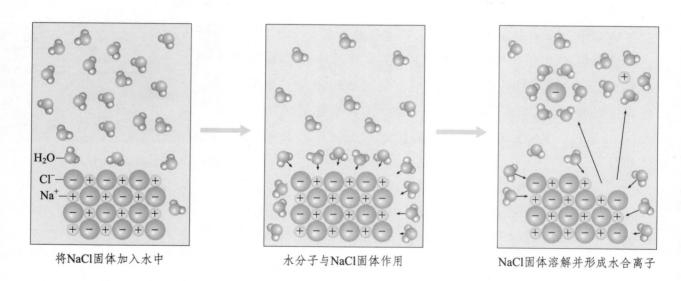

将NaCl固体加入水中　　　　水分子与NaCl固体作用　　　　NaCl固体溶解并形成水合离子

图1-11　NaCl固体在水中的溶解和形成水合离子示意图

当在NaCl溶液中插入电极并接通电源时，带正电荷的水合钠离子向与电源负极相连的电极移动，带负电荷的水合氯离子向与电源正极相连的电极移动，因而NaCl溶液能够导电（如图1-12左）。

当 NaCl 固体受热熔化时，离子的运动随温度升高而加快，克服了离子间的相互作用，产生了能够自由移动的 Na^+ 和 Cl^-，因而 NaCl 在熔融状态时也能导电（如图 1-12 右）。

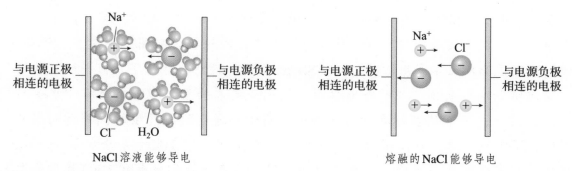

NaCl 溶液能够导电　　　　　　　　熔融的 NaCl 能够导电

图 1-12　NaCl 导电示意图

电解质溶于水或受热熔化时，形成自由移动的离子的过程叫做电离。电解质的电离可以用电离方程式表示（为简便起见，一般仍用离子符号表示水合离子）。例如：

电离　ionization

$$NaCl = Na^+ + Cl^-$$
$$KNO_3 = K^+ + NO_3^-$$
$$HCl = H^+ + Cl^-$$
$$H_2SO_4 = 2H^+ + SO_4^{2-}$$
$$HNO_3 = H^+ + NO_3^-$$

可以看出，HCl、H_2SO_4 和 HNO_3 在水溶液中都能电离出 H^+，因此，我们可以从电离的角度认识酸的本质。即电离时生成的阳离子全部是氢离子（H^+）[1]的化合物叫做酸。

❓ 思考与讨论

（1）请写出 NaOH、$Ca(OH)_2$、$Ba(OH)_2$ 的电离方程式。

（2）请结合以上电离方程式，并参考酸的本质，尝试从电离的角度概括出碱的本质。

---

① 氢原子失去电子后，剩余 1 个质子构成的核，即氢离子。氢离子是"裸露"的质子，半径很小，易与水分子结合成水合氢离子，通常用 H_3O^+ 表示。为了简便，也常把 H_3O^+ 写作 H^+。

模型

在对研究对象进行实验观察和证据推理的基础上，利用简化、抽象和类比等方法，将反映研究对象的本质特征形成一种概括性的描述或认识思路，这就是模型。模型在科学认识中具有描述、解释和预测等功能，是理论发展的一种重要方式。

化学中的模型有实物模型、理论模型等，其中，理论模型应用范围最广。例如，十九世纪后期，瑞典化学家阿伦尼乌斯（S.Arrhenius，1859—1927）在前人研究的基础上，通过研究电解质稀溶液的导电性等，提出了电离模型，即电解质溶于水会自动地解离成离子，而不是当时流行的说法——离子是通电后才产生的，并对电解质的电离进行了定量计算。电离模型很好地解释了酸、碱、盐溶液的某些性质，如酸、碱的强度等，因此发展成为近代的电离理论。阿伦尼乌斯也因此获得1903年诺贝尔化学奖。

二、离子反应

电解质溶于水后，电离成为自由移动的离子。因此，电解质在溶液中的反应一定与离子有关。

🧪 【实验1-3】

向盛有 2 mL Na_2SO_4 稀溶液的试管中加入 2 mL $BaCl_2$ 稀溶液（二者恰好完全反应），观察现象并分析。

现象	分析		
	Na_2SO_4 和 $BaCl_2$ 的电离方程式	混合前两种溶液中的离子	混合后溶液中的离子

通过上述现象和分析，我们可以得出这样的结论：当 Na_2SO_4 稀溶液与 $BaCl_2$ 稀溶液混合时，Na^+、Cl^- 都没有发生化学反应；而 SO_4^{2-} 与 Ba^{2+} 发生了化学反应，生成难溶的 $BaSO_4$ 白色沉淀。也就是说，对于化学反应：

$$Na_2SO_4 + BaCl_2 = 2NaCl + BaSO_4\downarrow$$

从微观角度看，其实质是：

$$Ba^{2+} + SO_4^{2-} = BaSO_4\downarrow$$

电解质在溶液中的反应实质上是离子之间的反应，这样的反应属于<u>离子反应</u>。用实际参加反应的离子符号来表示反应的式子叫做<u>离子方程式</u>。

离子反应　ionic reaction
离子方程式　ionic equation

离子方程式的书写一般按以下步骤（以 Na_2SO_4 溶液与 $BaCl_2$ 溶液的反应为例）：

（1）写出反应的化学方程式：

$$Na_2SO_4 + BaCl_2 = 2NaCl + BaSO_4\downarrow$$

（2）把易溶于水且易电离的物质（如强酸、强碱和大部分可溶性盐）写成离子形式，难溶的物质、气体和水等仍用化学式表示。上述化学方程式可改写成：

$$2Na^+ + SO_4^{2-} + Ba^{2+} + 2Cl^- = 2Na^+ + 2Cl^- + BaSO_4\downarrow$$

（3）删去方程式两边不参加反应的离子，并将方程式化为最简：

$$Ba^{2+} + SO_4^{2-} = BaSO_4\downarrow$$

（4）检查离子方程式两边各元素的原子个数和电荷总数是否相等。

💭 思考与讨论

完成下表中各反应的化学方程式和离子方程式，思考两种方程式在表示某一类反应时，表达的含义有什么不同，并进行讨论。

反应物	化学方程式	离子方程式	两种方程式的不同
HCl + NaOH			
HCl + KOH			
H_2SO_4 + NaOH			
H_2SO_4 + KOH			

上面的4个反应都是中和反应，虽然4个反应的化学方程式不同，但它们的离子方程式却是相同的。这表明：强酸与强碱发生中和反应的实质是，强酸电离出来的H^+与强碱电离出来的OH^-结合生成H_2O。

$$H^+ + OH^- = H_2O$$

可以看出，离子方程式不仅可以表示某个具体的化学反应，还可以表示同一类型的离子反应。

从微观角度看，酸、碱、盐在水溶液中发生的复分解反应，实质上是两种电解质在溶液中相互交换离子的反应。这类离子反应发生的条件就是复分解反应发生的条件，即生成沉淀、放出气体或生成水。只要具备上述条件之一，反应就能发生。

除了以离子互换形式进行的复分解反应，离子反应还有其他类型，如有离子参加的置换反应等。例如，Zn与稀硫酸反应的离子方程式为：

$$Zn + 2H^+ = Zn^{2+} + H_2\uparrow$$

离子反应在物质制备和分离、物质提纯和鉴定，以及消除水中污染物等方面都有广泛的应用。

-------- **练习与应用** --------

1. 在_____里或_____下能够导电的化合物叫做电解质。电解质溶液之所以能够导电，是由于电解质在溶液中发生了_____，产生了_____。

2. 下列叙述中，正确的是（   ）。

   A. KNO_3固体不导电，所以KNO_3不是电解质

   B. 铜丝、石墨均能导电，所以它们都是电解质

   C. 熔融的$MgCl_2$能导电，所以$MgCl_2$是电解质

   D. NaCl溶于水，在通电条件下才能发生电离

3. 下列离子方程式中，正确的是（   ）。

   A. 将稀硫酸滴在铜片上：$Cu + 2H^+ = Cu^{2+} + H_2\uparrow$

   B. 将氧化镁与稀盐酸混合：$MgO + 2H^+ = Mg^{2+} + H_2O$

   C. 将铜片插入硝酸银溶液中：$Cu + Ag^+ = Cu^{2+} + Ag$

   D. 将稀盐酸滴在石灰石上：$CaCO_3 + 2H^+ = Ca^{2+} + H_2CO_3$

4. 下列各组中的离子，能在溶液中大量共存的是（　　　）。

A. K^+、H^+、SO_4^{2-}、OH^-　　　　　　　　　　B. Na^+、Ca^{2+}、CO_3^{2-}、NO_3^-

C. Na^+、H^+、Cl^-、CO_3^{2-}　　　　　　　　　　D. Na^+、Cu^{2+}、Cl^-、SO_4^{2-}

5. 写出下列物质的电离方程式。

（1）HNO_3　　　　（2）KOH　　　　（3）$Fe_2(SO_4)_3$　　　　（4）NH_4NO_3

6. 对于下面4组物质，能发生反应的，写出有关反应的化学方程式；属于离子反应的，写出离子方程式；不能发生反应的，说明原因。

（1）硫酸钠溶液与氯化钡溶液　　　　　　　（2）铝片与硫酸铜溶液

（3）稀盐酸与碳酸钠溶液　　　　　　　　　（4）硝酸钠溶液与氯化钾溶液

7. 写出与下列离子方程式相对应的一个化学方程式。

（1）$Cu^{2+} + 2OH^- = Cu(OH)_2\downarrow$　　　　　　（2）$H^+ + OH^- = H_2O$

（3）$2H^+ + CO_3^{2-} = H_2O + CO_2\uparrow$　　　　　（4）$Cu^{2+} + Fe = Fe^{2+} + Cu$

8. 从稀盐酸、$Ba(OH)_2$溶液、Zn和$CuSO_4$溶液中选出适当的物质，写出实现下列要求的反应的离子方程式。

（1）实验室制取H_2的反应。　　　　　　　　（2）金属与盐的置换反应。

（3）酸与碱的中和反应。　　　　　　　　　　（4）生成沉淀的复分解反应。

9. 某兴趣小组的同学向一定体积的$Ba(OH)_2$溶液中逐滴加入稀硫酸，并测得混合溶液的导电能力随时间变化的曲线如右图所示。

（1）写出$Ba(OH)_2$溶液与稀硫酸反应的离子方程式。

（2）该小组的同学关于右图的下列说法中，正确的是_____（填序号）。

①AB段溶液的导电能力不断减弱，说明生成的$BaSO_4$不是电解质

②B处溶液的导电能力约为0，说明溶液中几乎没有自由移动的离子

③BC段溶液的导电能力不断增大，主要是由于过量的$Ba(OH)_2$电离出的离子导电

④a时刻$Ba(OH)_2$溶液与稀硫酸恰好完全中和

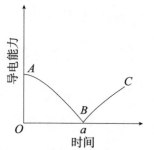

10. 牙膏是常见的日用化学品。

（1）下表列出了两种牙膏中的摩擦剂，请写出它们所属的物质类别（填"酸""碱""盐"或"氧化物"）。

摩擦剂	碳酸钙	二氧化硅
物质类别		

（2）请根据用途推测并说明二氧化硅在水中的溶解性（"易溶"或"难溶"）。

（3）牙膏中的摩擦剂碳酸钙可以用石灰石来制备。

①甲同学设计了一种在实验室中制备碳酸钙的实验方案（如下所示），请写出下述方案中有关反应的化学方程式。

②乙同学设计的实验方案为：

乙同学的实验方案与甲同学的相比，有哪些优点？请写出乙同学的方案中有关反应的离子方程式。

第三节
氧化还原反应

在初中，我们根据反应中物质得到氧或失去氧，把化学反应分为氧化反应或还原反应。那么，只有得氧（或失氧）的反应才是氧化反应（或还原反应）吗？氧化反应和还原反应是分别发生的吗？这类反应的本质是什么？

一、氧化还原反应

? 思考与讨论

（1）请根据初中学过的氧化反应和还原反应的知识，分析以下反应，完成下表。

$$2CuO + C \xrightarrow{\text{高温}} 2Cu + CO_2\uparrow$$
$$Fe_2O_3 + 3CO \xrightarrow{\text{高温}} 2Fe + 3CO_2$$

物质	反应物	发生的反应（氧化反应或还原反应）
得氧物质		
失氧物质		

（2）请标出以上反应中各物质所含元素的化合价，比较反应前后价态有无变化。

（3）讨论：在以上反应中，物质发生氧化反应或还原反应，与物质所含元素化合价的升高或降低有什么关系？

氧化还原反应
oxidation-reduction reaction

可以发现，在化学反应中，一种物质得到氧发生氧化反应，必然有一种物质失去氧发生还原反应。也就是说，氧化反应和还原反应是在一个反应中同时发生的，这样的反应称为**氧化还原反应**。

可以看出，以上反应中都有元素的化合价在反应前后发生了变化。而且，所含元素化合价升高的物质如C、CO，发生的反应为氧化反应；所含元素化合价降低的物质如CuO、Fe_2O_3，发生的反应为还原反应。

再看以下反应：

$$\underset{0}{Fe} + \underset{+2}{Cu}SO_4 = \underset{+2}{Fe}SO_4 + \underset{0}{Cu}$$

化合价升高

化合价降低

在这一反应中，虽然没有物质得氧、失氧，但反应前后却有元素化合价的变化：铁元素的化合价从0价升高到+2价，铜元素的化合价从+2价降低到0价。这样的反应也是氧化还原反应。其中，物质所含元素化合价升高的反应是氧化反应，物质所含元素化合价降低的反应是还原反应。例如，在Fe与$CuSO_4$的反应中，Fe发生了氧化反应，$CuSO_4$发生了还原反应。

反应前后有元素的化合价发生变化，是氧化还原反应的重要特征。那么，是什么原因导致元素的化合价发生变化呢？即氧化还原反应的本质是什么呢？下面我们以Na与Cl_2的反应，以及H_2与Cl_2的反应为例，从微观角度进行分析。

从原子结构来看，钠原子的最外电子层上有1个电子，氯原子的最外电子层上有7个电子。当Na与Cl_2反应时，钠原子失去1个电子，带1个单位正电荷，成为钠离子（Na^+）；氯原子得到1个电子，带1个单位负电荷，成为氯离子（Cl^-），这样双方最外电子层都达到了8个电子的稳定结构（如图1-13）。反应中钠元素的化合价从0价升高到+1价，Na被氧化；氯元素的化合价从0价降低到−1价，Cl_2被还原。在这个反应中，发生了电子的得失，Na发生了氧化反应，Cl_2发生了还原反应。

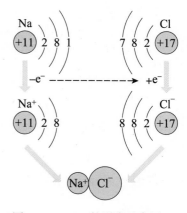

图1-13　NaCl的形成示意图

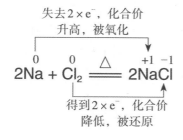

失去$2\times e^-$，化合价升高，被氧化

$$\underset{0}{2Na} + \underset{0}{Cl_2} \xrightarrow{\triangle} \underset{+1\ -1}{2NaCl}$$

得到$2\times e^-$，化合价降低，被还原

H_2 与 Cl_2 的反应则与此不同。氢原子的最外电子层上有1个电子，可获得1个电子而形成2个电子的稳定结构；氯原子的最外电子层上有7个电子，也可获得1个电子而形成8个电子的稳定结构。但在发生反应时，它们都未能把对方的电子夺取过来，而是双方各以最外层的1个电子组成一个共用电子对，这个电子对受到两个原子核的共同吸引，使双方最外电子层都达到稳定结构。由于氯原子对共用电子对的吸引力比氢原子的稍强一些，所以，共用电子对偏向于氯原子而偏离于氢原子。因此，氢元素的化合价从0价升高到+1价，H_2 被氧化；氯元素的化合价从0价降低到−1价，Cl_2 被还原。在这个反应中，发生了共用电子对的偏移，H_2 发生了氧化反应，Cl_2 发生了还原反应。

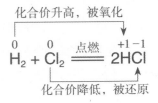

通过以上的分析我们知道，氧化还原反应中一定存在着电子转移，有的是电子得失，有的是共用电子对偏移。这就是氧化还原反应的本质。元素的原子失去电子（或电子对偏离），则元素的化合价升高，物质被氧化；元素的原子得到电子（或电子对偏向），则元素的化合价降低，物质被还原。

化合反应、分解反应、置换反应、复分解反应等4种基本类型的反应与氧化还原反应的关系如图1-14所示。

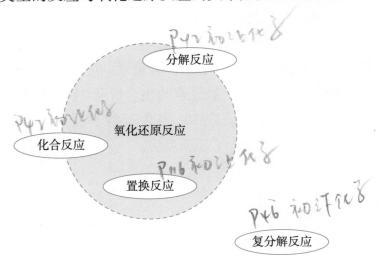

图1-14　4种基本类型的反应与氧化还原反应的关系

氧化还原反应概念的发展

人们对氧化还原反应的认识经历了一个漫长的过程。1774 年，法国化学家拉瓦锡提出燃烧的氧化学说（即燃烧是物质与氧气的反应）后，人们把物质与氧结合的反应叫做氧化反应，把氧化物失去氧的反应叫做还原反应。

1852 年，英国化学家弗兰克兰（E. Frankland，1825—1899）在研究金属有机化合物时提出化合价的概念，并逐步得到完善以后，人们把化合价升高的反应叫做氧化反应，把化合价降低的反应叫做还原反应。

1897 年，英国物理学家汤姆孙（J.J. Thomson，1856—1940）发现了电子，打破了原子不可再分的传统观念，使人们对原子的结构有了深入的认识。在此基础上，人们把化合价的升降与原子最外层电子的得失或共用联系起来，将原子失去电子（或电子对偏离）的过程叫做氧化反应，把原子得到电子（或电子对偏向）的过程叫做还原反应。

在化学学习的初始阶段，我们学习的一些概念如氧化还原反应等，往往是不完善和不全面的，这些概念常有一定的适用范围。因此，我们应该正确看待这些初始阶段的概念，并注意它们的发展。

二、氧化剂和还原剂

在氧化还原反应中，一种物质失去电子（或电子对偏离），必然同时有物质得到电子（或电子对偏向）。在反应时，所含元素的化合价升高，即失去电子（或电子对偏离）的物质是还原剂；所含元素的化合价降低，即得到电子（或电子对偏向）的物质是氧化剂。在反应中，电子从还原剂转移到氧化剂（如图 1-15）。

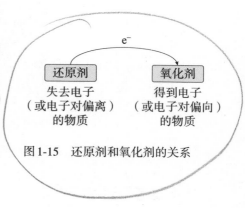

图 1-15　还原剂和氧化剂的关系

例如，对于下列反应：

$$\overset{\overset{\displaystyle 2e^-}{\frown}}{CuO} + H_2 \xrightarrow{\triangle} Cu + H_2O$$

氧化剂　还原剂

$$\overset{\overset{\displaystyle 2e^-}{\frown}}{2Na} + Cl_2 \xrightarrow{\triangle} 2NaCl$$

还原剂　氧化剂

可以看出，还原剂和氧化剂作为反应物共同参加氧化还原反应。还原剂具有还原性，反应时本身被氧化；氧化剂具有氧化性，反应时本身被还原。

在中学化学中，常用作氧化剂的物质有 O_2、Cl_2、浓硫

| 还原剂 | reductant |
| 氧化剂 | oxidant |

酸、HNO_3、$KMnO_4$、$FeCl_3$ 等；常用作还原剂的物质有活泼的金属单质如 Al、Zn、Fe，以及 C、H_2、CO、KI 等。

氧化还原反应是一类重要的化学反应，广泛存在于生产和生活中。例如，金属的冶炼、电镀、燃料的燃烧、绿色植物的光合作用，以及易燃物的自燃、食物的腐败、钢铁的锈蚀等。这说明化学变化在生产和生活中可能同时具有正、负两方面的影响。如果我们能够掌握化学变化的规律，就有可能做到趋利避害，使之更好地为社会的发展服务。

燃料的燃烧

绿色植物的光合作用

食物的腐败

钢铁的锈蚀

图1-16　广泛存在的氧化还原反应

思考与讨论

目前，汽车尾气系统中均安装了催化转化器（如图1-17）。在催化转化器中，汽车尾气中的 CO 和 NO 在催化剂的作用下发生反应，生成 CO_2 和 N_2。

（1）请写出上述反应的化学方程式。

（2）请分析上述反应是否为氧化还原反应。如果是，请指出反应中的氧化剂和还原剂。

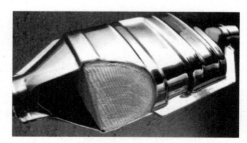
图1-17　催化转化器

（3）催化转化器中发生的反应对减少汽车尾气污染有什么作用？请查阅资料，了解氧化还原反应在生产和生活中应用的其他具体事例，与同学讨论你对氧化还原反应价值的认识。

1. 在实验室中制取 O_2 有多种方法，写出下列制取 O_2 的反应的化学方程式。

（1）以双氧水为原料制取 O_2：＿＿＿＿＿＿＿＿＿＿＿＿＿＿＿＿＿＿＿＿＿；

（2）以氯酸钾为原料制取 O_2：＿＿＿＿＿＿＿＿＿＿＿＿＿＿＿＿＿＿＿＿＿；

（3）以高锰酸钾为原料制取 O_2：＿＿＿＿＿＿＿＿＿＿＿＿＿＿＿＿＿＿＿＿。

从反应类型来看，上述三个反应的共同特点是＿＿＿＿＿＿＿＿＿＿＿＿＿＿＿＿＿＿＿＿＿。

2. 在高温时，水蒸气与灼热的炭发生氧化还原反应的化学方程式为：

$$H_2O + C \xrightarrow{\text{高温}} H_2 + CO$$

其中，H_2O 是＿＿＿＿＿剂，C 是＿＿＿＿＿剂。

3. 高温下铝粉与氧化铁的反应可用来焊接钢轨。其原理是：该反应放出大量的热，置换出的铁呈熔融态。熔融的铁流入钢轨的裂缝里，冷却后就将钢轨牢牢地焊接在一起。该反应的化学方程式为＿＿＿＿＿＿＿＿＿＿＿＿＿＿＿，其中，还原剂是＿＿＿＿＿＿＿＿（填化学式，下同），被还原的物质是＿＿＿＿＿＿＿。

4. 下列变化中，涉及氧化还原反应的是＿＿＿＿＿＿（填序号）。

①金属的冶炼　　　　②钢铁的锈蚀

③食物的腐败　　　　④钟乳石的形成

5. 下列 4 种基本类型的反应中，一定是氧化还原反应的是＿＿＿＿＿＿（填序号，下同），一定不是氧化还原反应的是＿＿＿＿＿＿，可能是氧化还原反应的是＿＿＿＿＿＿。

①化合反应　　　　②分解反应

③置换反应　　　　④复分解反应

6. 下列反应中，属于氧化还原反应的是（　　　）。

A. $CaCO_3 + 2HCl = CaCl_2 + CO_2 \uparrow + H_2O$

B. $CaO + H_2O = Ca(OH)_2$

C. $WO_3 + 3H_2 \xrightarrow{\text{高温}} W + 3H_2O$

D. $CaCO_3 \xrightarrow{\text{高温}} CaO + CO_2 \uparrow$

7. 下列反应中，HCl 做还原剂的是（　　　），HCl 做氧化剂的是（　　　）。

A. $NaOH + HCl = NaCl + H_2O$

B. $Zn + 2HCl = ZnCl_2 + H_2 \uparrow$

C. $MnO_2 + 4HCl(\text{浓}) \xrightarrow{\triangle} MnCl_2 + 2H_2O + Cl_2 \uparrow$

D. $CuO + 2HCl = CuCl_2 + H_2O$

8. 实现下列物质之间的转化，需要加入还原剂才能实现的是（　　　）。

A. $SO_3 \rightarrow H_2SO_4$

B. $Cu \rightarrow Cu(NO_3)_2$

C. $CuO \rightarrow Cu$

D. $CO \rightarrow CO_2$

9. 氢化钠（NaH）可在野外用作生氢剂，其中氢元素为-1价。NaH用作生氢剂时的化学反应原理为：$NaH + H_2O = NaOH + H_2\uparrow$。下列有关该反应的说法中，正确的是（　　　）。

A. 该反应属于置换反应

B. 该反应属于复分解反应

C. NaH是氧化剂

D. H_2O 中的氢元素被还原

10. 分析下列氧化还原反应中元素化合价的变化情况，指出氧化剂和还原剂。

（1）$2H_2 + O_2 \xrightarrow{\text{点燃}} 2H_2O$

（2）$4P + 5O_2 \xrightarrow{\text{点燃}} 2P_2O_5$

（3）$Fe + H_2SO_4 = FeSO_4 + H_2\uparrow$

（4）$2HgO \xrightarrow{\triangle} 2Hg + O_2\uparrow$

11. 从氧化剂和还原剂的角度，分析下列三个反应中 H_2O_2 的作用。

（1）$H_2O_2 + H_2S = 2H_2O + S\downarrow$

（2）$H_2O_2 + Cl_2 = 2HCl + O_2$

（3）$2H_2O_2 \xrightarrow{MnO_2} 2H_2O + O_2\uparrow$

12. 高铁酸钠（Na_2FeO_4）是一种新型绿色消毒剂，主要用于饮用水处理。工业上制备高铁酸钠有多种方法，其中一种方法的化学原理可用离子方程式表示为：

$$3ClO^- + 2Fe^{3+} + 10OH^- = 2FeO_4^{2-} + 3Cl^- + 5H_2O$$

请分析上述反应中元素化合价的变化情况，指出氧化剂和还原剂。

13. 阅读本节的"科学史话"，利用图或表简要表示氧化反应、还原反应、氧化还原反应概念的发展。从中你能得到什么启示？

运用分类的方法学习物质及其变化，不仅可以使有关物质及其变化的知识系统化，还可以通过分门别类的研究，发现物质及其变化的规律。

一、物质的分类

请根据物质的组成和性质对学过的物质进行分类（可采用图、表等多种形式）。

请根据分散质粒子的直径大小对分散系进行分类（可采用图、表等多种形式）。

二、化学反应的分类

我们可以从不同角度认识化学反应。例如，可以依据不同的标准对化学反应进行分类研究。

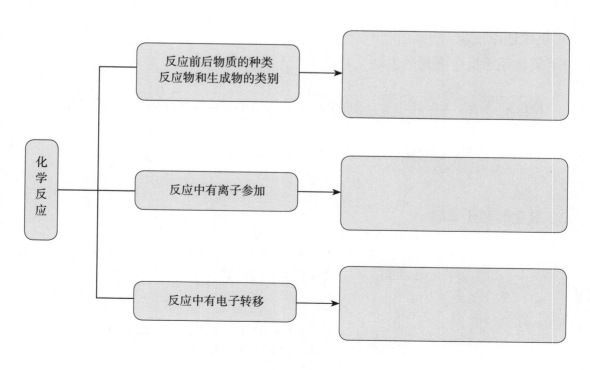

三、物质的转化

1．不同类别物质之间的转化
一般情况下，单质、氧化物、酸、碱和盐的转化关系可简单表示如下：

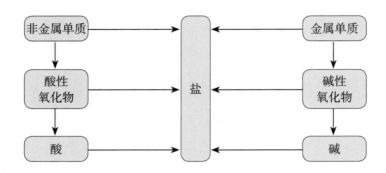

2．离子反应
电解质溶于水或受热熔化时，形成自由移动的离子的过程叫做电离。有离子参加的反应称为离子反应，电解质在水溶液中的反应属于离子反应。

概念	电离 （以 $NaCl$ 的电离为例）	离子反应 （以 Na_2SO_4 溶液与 $BaCl_2$ 溶液的反应为例）
宏观现象	$NaCl$ 溶于水或受热熔化时能导电	生成白色沉淀
微观实质	$NaCl$ 溶于水或受热熔化时发生电离，形成自由移动的 Na^+ 和 Cl^-	Ba^{2+} 与 SO_4^{2-} 发生反应生成 $BaSO_4$
符号表征	电离方程式： $NaCl == Na^+ + Cl^-$	离子方程式： $Ba^{2+} + SO_4^{2-} == BaSO_4\downarrow$

3．氧化还原反应
（1）氧化还原反应概念的发展

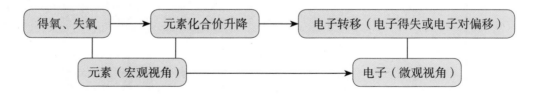

（2）氧化剂和还原剂

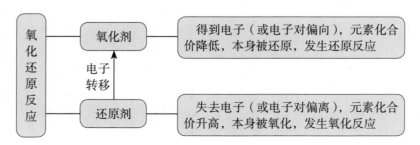

1. 现有下列4组物质：

   A. CaO、MgO、CO_2、CuO B. H_2、Cl_2、N_2、Cu

   C. O_2、Fe、Cu、Zn D. HCl、H_2O、H_2SO_4、HNO_3

   （1）填写下表空白。

组别	A组	B组	C组	D组
分类标准	碱性氧化物		金属单质	
不属于该类别的物质		Cu		H_2O

   （2）若（1）表中的4种物质相互反应可生成一种新物质——碱式碳酸铜 [化学式为$Cu_2(OH)_2CO_3$]，请写出该反应的化学方程式：_____。

2. 维生素C又称"抗坏血酸"，在人体内有重要的功能。例如，能帮助人体将食物中摄取的、不易吸收的Fe^{3+}转变为易吸收的Fe^{2+}，这说明维生素C具有_____（填"氧化性"或"还原性"）。

3. 我国古代四大发明之一的黑火药是由硫黄粉、硝酸钾和木炭粉按一定比例混合而成的，爆炸时的反应为：

$$S + 2KNO_3 + 3C = K_2S + N_2 \uparrow + 3CO_2 \uparrow$$

   在该反应中，还原剂是_____（填化学式，下同），氧化剂是_____。

4. 工业废水中含有的重铬酸根离子（$Cr_2O_7^{2-}$）有毒，必须处理达标后才能排放。工业上常用绿矾（$FeSO_4 \cdot 7H_2O$）做处理剂，反应的离子方程式如下：

$$6Fe^{2+} + Cr_2O_7^{2-} + 14H^+ = 6Fe^{3+} + 2Cr^{3+} + 7H_2O$$

   在该反应中，氧化剂是_____（填离子符号，下同），被氧化的是_____。

5. 在明代宋应星所著的《天工开物》中，有关于火法炼锌的工艺记载："每炉甘石十斤，装载入一泥罐内，……然后逐层用煤炭饼垫盛，其底铺薪，发火煅红，罐中炉甘石熔化成团。冷定毁罐取出。……即倭铅也。……以其似铅而性猛，故名之曰'倭'云。"（注：炉甘石的主要成分是碳酸锌。）

   （1）请完成上述火法炼锌反应的化学方程式：

$$ZnCO_3 + \underline{\quad} \xrightarrow{\text{高温}} \underline{\quad} + \underline{\quad} CO \uparrow$$

   （2）在该反应中，还原剂是_____（填化学式，下同），被还原的是_____。

6. 下列各组物质，按化合物、单质、混合物顺序排列的是（　　）。

   A. 烧碱、液态氧、碘酒

   B. 生石灰、白磷、熟石灰

   C. 干冰、铁、氯化氢

   D. 空气、氮气、胆矾

7. 下列离子方程式中，正确的是（　　）。

   A. 将稀硫酸滴在铁片上：$2Fe + 6H^+ = 2Fe^{3+} + 3H_2 \uparrow$

   B. 将碳酸氢钠溶液与稀盐酸混合：$HCO_3^- + H^+ = H_2O + CO_2 \uparrow$

C. 将硫酸铜溶液与氢氧化钠溶液混合：$CuSO_4 + 2OH^- = Cu(OH)_2 \downarrow + SO_4^{2-}$

D. 将硝酸银溶液与氯化钠溶液混合：$AgNO_3 + Cl^- = AgCl \downarrow + NO_3^-$

8. 下列各组中的离子，能在溶液中大量共存的是（　　　）。

A. H^+、Ca^{2+}、Cl^-、CO_3^{2-} 　　　　　　　B. Na^+、Mg^{2+}、SO_4^{2-}、OH^-

C. K^+、Na^+、OH^-、Cl^- 　　　　　　　D. Cu^{2+}、Ba^{2+}、Cl^-、SO_4^{2-}

9. 下列转化中，需要加入氧化剂才能实现的是（　　　）。

A. $I_2 \rightarrow I^-$ 　　　　　　　B. $Fe^{2+} \rightarrow Fe^{3+}$

C. $HCO_3^- \rightarrow CO_2$ 　　　　　　　D. $MnO_4^- \rightarrow MnO_2$

10. 在西汉刘安组织编撰的《淮南万毕术》中，有"曾青得铁则化为铜"的记载。这说明早在西汉时期，我国劳动人民就已经发现铁能从某些含铜（+2 价）化合物的溶液中置换出铜，这个反应是现代湿法冶金的基础。下列关于该反应的说法中，不正确的是（　　　）。

A. 该反应说明铁的金属活动性比铜的强

B. 该反应的离子方程式为：$Fe + Cu^{2+} = Cu + Fe^{2+}$

C. 该反应属于氧化还原反应，反应中铁被氧化

D. 该反应说明金属单质都能与盐发生反应

11. 用化学方程式表示在一定条件下下列物质间的转化关系。指出哪些是氧化还原反应，哪些不是氧化还原反应。对于氧化还原反应，指出氧化剂和还原剂。

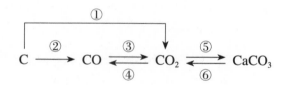

12. 现有 $NaOH$、Na_2CO_3 和 $Ba(OH)_2$ 三种无色溶液，选用一种试剂把它们鉴别出来，并写出反应的化学方程式和离子方程式。

13. 某白色粉末中可能含有 $Ba(NO_3)_2$、$CaCl_2$、K_2CO_3，现进行以下实验：

（1）将部分粉末加入水中，振荡，有白色沉淀生成；

（2）向（1）的悬浊液中加入过量稀硝酸，白色沉淀消失，并有气泡产生；

（3）取少量（2）的溶液滴入 $AgNO_3$ 溶液，有白色沉淀生成。

根据上述实验现象，判断原白色粉末中肯定含有什么物质，可能含有什么物质，并写出有关反应的离子方程式。

第二章
海水中的重要元素
——钠和氯

钠及其化合物
氯及其化合物
物质的量

浩瀚的大海美丽而富饶。海洋是一个巨大的化学资源宝库，含有80多种元素，钠和氯既是其中含量较高的元素，也是典型的金属元素和典型的非金属元素。钠、氯的单质及其化合物具有怎样的性质？我们应该如何进行研究呢？

从物质分类的角度系统研究钠及其化合物、氯及其化合物，可以定性认识物质的性质、变化和用途。通过学习一个新的物理量——物质的量，建立宏观物质与微观粒子间的联系，可以帮助我们从定量的角度认识物质及其变化。

第一节
钠及其化合物

钠元素在自然界中都以化合物的形式存在，如 NaCl、Na_2CO_3、Na_2SO_4 等。钠的单质可以通过化学反应制得。那么，钠和钠的化合物都有哪些性质呢？

一、活泼的金属单质——钠

钠 sodium

从钠的原子结构来看，它的原子的最外电子层上只有 1 个电子，在化学反应中该电子很容易失去。因此，钠的化学性质非常活泼，表现出很强的还原性。

【实验2-1】

用镊子取一小块钠，用滤纸吸干表面的煤油后，用刀切去一端的外皮，观察钠的光泽和颜色，并注意新切开的钠的表面所发生的变化。

> ⚠ **注意**
>
> 不要用手直接接触钠，而要用镊子夹取！

> 💬 **数据**
>
> **钠**
>
> 熔点：97.8 ℃
> 沸点：883 ℃
> 密度：0.971 g/cm³

图2-1　钠常常保存在石　　图2-2　切割钠
　　　　蜡油或煤油中

从实验可知，钠很软，能用刀切割。切开外皮后，可以看到钠具有银白色的金属光泽。

新切开的钠的光亮的表面很快变暗了，这是因为钠与氧气发生反应，在钠的表面生成了一薄层氧化物，这种氧化物是氧化钠。

$$4Na + O_2 = 2Na_2O$$

因此，在实验室中，要把钠保存在石蜡油或煤油中，以隔绝空气。

如果加热，钠又会发生什么变化呢?

【实验2-2】

将一个干燥的坩埚加热，同时切取一块绿豆大的钠，迅速投到热坩埚中。继续加热坩埚片刻，待钠熔化后立即撤掉酒精灯，观察现象。

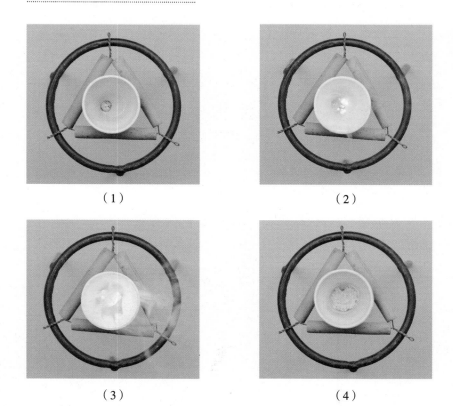

（1）　　　　　　　　（2）

（3）　　　　　　　　（4）

图2-3　钠在空气中燃烧

⚠ **注意**

不要近距离俯视坩埚!

可以看到，钠受热后先熔化，然后与氧气剧烈反应，发出黄色火焰，生成一种淡黄色固体。这种淡黄色固体是过氧化钠（Na_2O_2）。

$$2Na + O_2 \xrightarrow{\triangle} Na_2O_2$$
过氧化钠

钠除了能与氧气、氯气等非金属单质直接化合，还能与水发生反应。

钠与水的反应

【预测】

从物质组成及氧化还原反应的角度，预测钠与水反应的生成物：＿＿＿＿＿＿＿。

【实验】

在烧杯中加入一些水，滴入几滴酚酞溶液，然后把一块绿豆大的钠放入水中。

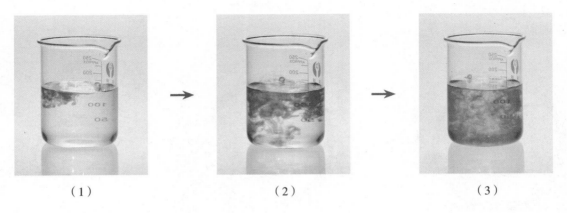

（1）　　　　　　　　　　　　（2）　　　　　　　　　　　　（3）

图2-4　钠与水反应

从钠在水中的位置、钠的形状的变化、溶液颜色的变化等方面观察和描述实验现象。分析实验现象，你能得出哪些结论？

实验现象	分析及结论

【结论】

钠与水反应的生成物是＿＿＿＿＿＿＿＿＿＿＿＿＿＿＿＿。与你的预测是否一致？

钠的性质非常活泼，能与水发生剧烈反应；反应时放出热量；反应后得到的溶液显碱性。钠与水反应的化学方程式为：

$$2Na + 2H_2O = 2NaOH + H_2\uparrow$$

现在，你一定明白实验室里为什么要把钠保存在石蜡油或煤油中了。同时，这也正是当火灾现场存放有大量活泼金属时，不能用水而需要用干燥的沙土来灭火的原因。

二、钠的几种化合物

1. 氧化钠和过氧化钠

> **？ 思考与讨论**
>
> （1）回忆前面做过的实验，描述氧化钠和过氧化钠的颜色、状态。
> （2）氧化钠与水的反应和氧化钙与水的反应类似，请写出氧化钠与水反应的化学方程式。

从物质分类的角度来看，氧化钠和过氧化钠都属于氧化物。氧化钠与水反应生成氢氧化钠，过氧化钠与水反应生成什么物质呢？

🧪 **【实验2-3】** 🫗 ⚠️ 🧤

将1~2 mL水滴入盛有1~2 g过氧化钠固体的试管中，立即把带火星的木条伸入试管中，检验生成的气体。用手轻轻触摸试管外壁，有什么感觉？用pH试纸检验溶液的酸碱性。

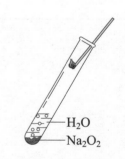

图2-5 过氧化钠与水反应

过氧化钠与水反应生成氢氧化钠和氧气：

$$2Na_2O_2 + 2H_2O = 4NaOH + O_2\uparrow$$

过氧化钠还能与二氧化碳反应生成碳酸钠和氧气：

$$2Na_2O_2 + 2CO_2 = 2Na_2CO_3 + O_2$$

因此，过氧化钠可在呼吸面具或潜水艇中作为氧气的来源。

2. 碳酸钠和碳酸氢钠

在初中，我们已经学过碳酸钠和碳酸氢钠的一些用途，并了解了它们的一些性质，如碳酸钠和碳酸氢钠都能与盐酸反应。我们知道，物质的用途与它们的性质有关，下面我们进一步研究碳酸钠和碳酸氢钠的性质。

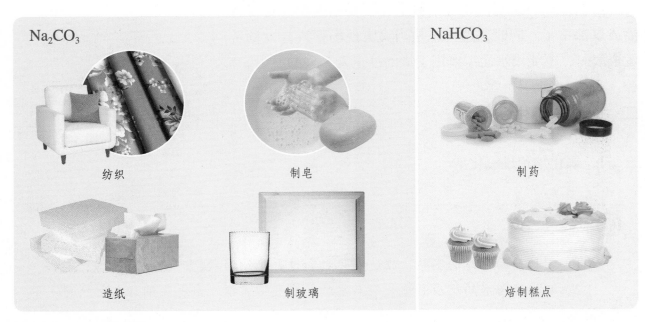

图2-6　Na_2CO_3 和 $NaHCO_3$ 的主要用途

【实验2-4】

在两支试管中分别加入少量 Na_2CO_3 和 $NaHCO_3$（各约1 g），完成下列实验，并将实验现象和相应的结论填入下表。

盐	Na_2CO_3	$NaHCO_3$
（1）观察 Na_2CO_3 和 $NaHCO_3$ 的外观并进行描述		
（2）向以上两支试管中分别滴入几滴水，振荡，观察现象；将温度计分别插入其中，温度计的示数有何变化		
（3）继续向（2）的试管中分别加入5 mL水，用力振荡，有何现象		
（4）分别向（3）所得溶液中滴入1~2滴酚酞溶液，有何现象		
初步结论		

碳酸钠是白色粉末，碳酸氢钠是细小的白色晶体。实验表明，向碳酸钠中加入少量水后，碳酸钠结块变成晶体，并伴随着放热现象。向碳酸氢钠中加入少量水后，碳酸氢钠能溶解，并伴随着吸热现象。碳酸钠和碳酸氢钠的溶液均显碱性，可用作食用碱或工业用碱。

碳酸钠粉末遇水生成含有结晶水的碳酸钠晶体——水合碳酸钠（$Na_2CO_3 \cdot xH_2O$）[1]。碳酸钠晶体在干燥空气里逐渐失去结晶水变成碳酸钠粉末。

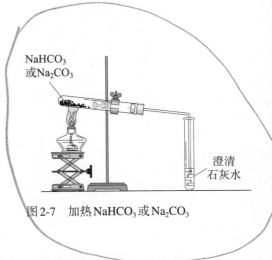

NaHCO₃ 或 Na₂CO₃

澄清石灰水

图2-7　加热 $NaHCO_3$ 或 Na_2CO_3

【实验2-5】

如图2-7所示，分别加热 Na_2CO_3 和 $NaHCO_3$，观察现象，比较 Na_2CO_3 和 $NaHCO_3$ 的热稳定性。

碳酸钠很稳定，受热不易发生分解；碳酸氢钠不稳定，受热容易分解。

$$2NaHCO_3 \xrightarrow{\triangle} Na_2CO_3 + H_2O + CO_2\uparrow$$

我们可以利用加热的方法来鉴别碳酸钠和碳酸氢钠。

科学史话

侯德榜和侯氏制碱法

侯德榜为我国化工事业的发展作出了卓越贡献，是我国近代化学工业的奠基人之一。

1890年，侯德榜出生于福建省闽侯县。1921年在美国获博士学位。怀着振兴祖国民族工业的决心，1921年侯德榜接受爱国实业家范旭东的邀请，毅然回国到永利碱业公司负责技术开发工作。在侯德榜的努力下，永利碱厂生产出了"红三角"牌纯碱，并在1926年美国费城万国博览会上荣获金奖，永利碱厂也成为当时亚洲第一大碱厂。

抗日战争爆发后，侯德榜率西迁的员工建设永利川西化工厂。川西地区盐卤浓度较低，为了降低制碱成本，侯德榜开始对原有的制碱方法——氨碱法（以食盐、氨、二氧化碳为原料制取碳酸钠，又称索尔维法）进行改进。经过数百次的试验，侯德榜终于确定了新的工艺流程，将氨碱法制取碳酸钠和合成氨联合起来，这就是联合制碱法，也称侯氏制碱法。侯氏制碱法提高了食盐的转化率，缩短了生产流程，减少了对环境的污染，将制碱技术发展到一个新的水平，赢得了国际化工界的高度评价。侯德榜热爱祖国、自强不息和艰苦创业的精神，始终是后人学习的典范！

图2-8　北京化工大学校园内的侯德榜雕像

---

① 碳酸钠水合物有 $Na_2CO_3 \cdot H_2O$、$Na_2CO_3 \cdot 7H_2O$ 和 $Na_2CO_3 \cdot 10H_2O$ 三种。

三、焰色试验

我们在观察钠的燃烧时，发现火焰呈黄色。很多金属或它们的化合物在灼烧时都会使火焰呈现出特征颜色。

🧪【实验2-6】

把熔嵌在玻璃棒上的铂丝（或用光洁无锈的铁丝）放在酒精灯（最好用煤气灯）外焰上灼烧，至与原来的火焰颜色相同时为止。用铂丝（或铁丝）蘸取碳酸钠溶液，在外焰上灼烧，观察火焰的颜色。

将铂丝（或铁丝）用盐酸洗净后，在外焰上灼烧至与原来的火焰颜色相同时，再蘸取碳酸钾溶液做同样的实验，此时要透过蓝色钴玻璃①观察火焰的颜色。

焰色试验　flame test

根据火焰呈现的特征颜色，可以判断试样所含的金属元素，化学上把这样的定性分析操作称为焰色试验。

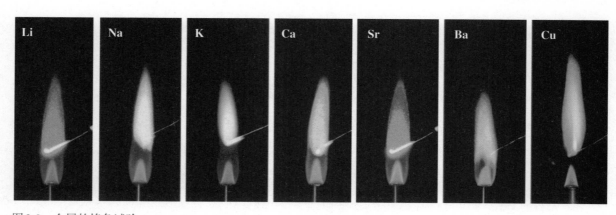

图2-9　金属的焰色试验

📄 资料卡片

一些金属元素的焰色

金属元素	锂	钠	钾	铷	钙	锶	钡	铜
焰色	紫红色	黄色	紫色	紫色	砖红色	洋红色	黄绿色	绿色

---

① 为了滤去黄色的光，避免碳酸钾中所含的微量钠盐造成干扰。

节日燃放的五彩缤纷的烟花，所呈现的就是锂、钠、钾、锶、钡等金属元素的焰色。

图2-10 节日烟花

~~~ 研究与实践 ~~~

了解纯碱的生产历史

【研究目的】

纯碱是一种重要的化工原料，具有广泛的用途。通过查阅资料，了解纯碱的生产历史，感受化学工业发展过程中技术进步的重要性，以及建设生态文明的意义。

【研究任务】

（1）查阅资料，了解路布兰制碱法、索尔维制碱法、侯氏制碱法的原理。

（2）根据所查阅的资料，分析后一种制碱法与前一种制碱法相比所具有的优势。

（3）从生态文明建设的角度，思考侯氏制碱法的意义。

【结果与讨论】

（1）从科学家对纯碱生产的研究中，你得到什么启示？

（2）以纯碱的生产为线索，完成研究报告，并与同学讨论。

1. 除去 Na_2CO_3 粉末中混有的少量 $NaHCO_3$ 的方法是_____，所涉及的反应的化学方程式为_____。

2. 研究物质时会涉及物质的组成、分类、性质和用途等方面。

   （1）Na_2O_2 属于_____（填物质的类别），检验其组成中所含阳离子的方法是_____。

   （2）将包有少量_____色 Na_2O_2 固体的棉花放在石棉网上，用滴管向棉花上滴几滴水，棉花立刻燃烧起来。由该实验你能得出的结论是_____。

   （3）在潜水艇和消防员的呼吸面具中，Na_2O_2 所发生反应的化学方程式为_____，从氧化剂和还原剂的角度分析，在这个反应中 Na_2O_2 的作用是_____。某潜水艇上有 50 人，如果每人每分钟消耗的 O_2 在标准状况下体积为 0.80 L（标准状况下 O_2 的密度为 1.429 g/L），假设所需要的 O_2 全部由 Na_2O_2 来提供，则该潜水艇一天所需要的 Na_2O_2 的质量是____ kg。

3. 下列关于钠的叙述中，不正确的是（   ）。

   A. 钠燃烧时发出黄色的火焰   B. 钠燃烧时生成氧化钠

   C. 钠具有很强的还原性   D. 钠原子的最外电子层上只有 1 个电子

4. 下列物质放置在空气中，因发生氧化还原反应而变质的是（   ）。

   A. Na   B. NaOH   C. NaCl   D. Na_2CO_3

5. 下列实验方案中，不能测定出 Na_2CO_3 和 $NaHCO_3$ 的混合物中 Na_2CO_3 质量分数的是（   ）。

   A. 取 a g 混合物充分加热，质量减少 b g

   B. 取 a g 混合物与足量稀盐酸充分反应，加热、蒸干、灼烧，得到 b g 固体

   C. 取 a g 混合物与足量 NaOH 溶液充分反应，得到 b g 溶液

   D. 取 a g 混合物与足量稀硫酸充分反应，逸出气体经干燥后用碱石灰吸收，质量增加 b g

6. 某小组同学探究 Na_2CO_3 的性质，请你与他们一起完成，并回答问题。

   （1）观察：描述 Na_2CO_3 的颜色、状态：_____。

   （2）预测：从物质的类别来看，Na_2CO_3 属于_____类，可以与_____等类别的物质发生反应。

   （3）设计实验并得出结论：

实验步骤	实验现象	结论或解释（用离子方程式表示）
①向盛有 Na_2CO_3 溶液的试管中滴加澄清石灰水		
②向盛有 Na_2CO_3 溶液的试管中滴加 $CaCl_2$ 溶液		
③向盛有 Na_2CO_3 溶液的试管中滴加稀盐酸	开始无气泡产生，一段时间后产生气泡	①$CO_3^{2-}+H^+=HCO_3^-$ ②_____

   （4）问题和讨论：

   ①该组同学在探究 Na_2CO_3 的性质时，思路是什么？运用了哪些方法？

   ②在实验室中，如何鉴别 $NaHCO_3$ 和 Na_2CO_3？

第二节
氯及其化合物

氯是一种重要的"成盐元素"，在自然界中除了以NaCl、MgCl$_2$、CaCl$_2$等形式大量存在于海水中，还存在于陆地的盐湖和盐矿中。氯的单质氯气是一种重要的化工原料，大量用于制造盐酸、有机溶剂、农药、染料和药品等。

一、氯气的性质

18世纪70年代，瑞典化学家舍勒（C.W.Scheele，1742—1786）将软锰矿（主要成分是MnO$_2$）与浓盐酸混合加热，产生了一种黄绿色、有刺激性气味的气体。受当时流行学说的影响，舍勒未能确认这种气体。直到1810年，英国化学家戴维（S.H.Davy，1778—1829）才确认这种气体是一种新元素组成的单质——氯气。

> **❓ 思考与讨论**
>
> 从氯气的发现到氯被确认为一种新的元素，时间长达三十多年，其间经历了数位科学家的不懈探索。你从这一史实中得到什么启示？

📑 资料卡片

氯气的命名

1810年，英国化学家戴维以大量事实为依据，确认黄绿色气体是一种新元素组成的单质，并将这种元素命名为chlorine。这一名称来自希腊文，有"绿色"的意思。中文译名曾为"绿气"，后改为"氯气"。

氯气　chlorine

图2-11　舍勒

💬 数据

氯气

熔点：-101 ℃

沸点：-34.6 ℃

密度：3.214 g/L（0 ℃）

氯原子的最外电子层上有7个电子，在化学反应中很容易得到1个电子，使最外电子层达到8个电子的稳定结构。氯气是很活泼的非金属单质，具有强氧化性。

⚠ 注意

氯气有毒，人吸入少量氯气会使鼻和喉头的黏膜受到刺激，引起咳嗽和胸部疼痛，吸入大量氯气会中毒致死。

1. 与金属、非金属单质的反应

氯气能与大多数金属化合，生成金属氯化物。例如，钠、铁、铜等都能与氯气在加热条件下发生反应：

$$2Na + Cl_2 \xrightarrow{\triangle} 2NaCl$$

$$2Fe + 3Cl_2 \xrightarrow{\triangle} 2FeCl_3$$

$$Cu + Cl_2 \xrightarrow{\triangle} CuCl_2$$

氯气也能与大多数非金属单质发生化合反应。

🧪【实验2-7】

在空气中点燃氢气，然后把导管缓慢伸入盛满氯气的集气瓶中，观察现象。

可以看到，纯净的H_2在Cl_2中安静地燃烧，发出苍白色火焰。反应生成的气体是HCl，它在空气中与水蒸气结合，呈现雾状。

$$H_2 + Cl_2 \xrightarrow{点燃} 2HCl$$

HCl气体溶于水，就成为我们常用的盐酸。

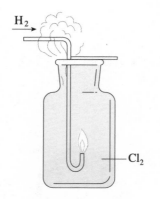

图2-12　H_2在Cl_2中燃烧

❓ 思考与讨论

我们以前学过的燃烧反应，都是物质在氧气中的燃烧。通过H_2在Cl_2中的燃烧，你对燃烧的条件及其本质有什么新的认识？

2. 与水的反应

目前，很多自来水厂用氯气来杀菌、消毒，我们偶尔闻到的自来水散发出来的刺激性气味就是余氯的气味。

在25 ℃时，1体积的水可溶解约2体积的氯气，氯气的水溶液称为氯水。氯气溶于水为什么能杀菌、消毒呢？

图2-13　储存液氯的钢瓶

在常温下，溶于水中的部分氯气与水发生反应：

$$Cl_2 + H_2O = HCl + HClO$$

次氯酸

次氯酸（HClO）具有强氧化性，因此，次氯酸能杀死水中的病菌，起到消毒的作用。

近年来有科学家提出，使用氯气对自来水消毒时，氯气会与水中的有机物发生反应，生成的有机氯化物可能对人体有害。所以，国家规定了饮用水中余氯含量的标准；而且已开始使用新的自来水消毒剂，如二氧化氯（ClO_2）、臭氧等。

> **？ 思考与讨论**
>
> 氯气是一种有毒气体，但控制氯气的用量，使水中余氯的含量达到国家饮用水标准，氯气可用于自来水的杀菌、消毒。使用氯气对自来水消毒时可能产生一些负面影响，因此，人们已开始使用一些新型自来水消毒剂。从中你能得到什么启示？

【实验2-8】

（1）取干燥的和湿润的有色纸条（或布条）各一条，分别放入两个盛有干燥氯气的集气瓶中，盖上玻璃片，观察现象。

（2）将有色鲜花放入盛有干燥氯气的集气瓶中，盖上玻璃片，观察现象。

图2-14　干燥的氯气使有色鲜花变色

次氯酸的强氧化性还能使某些染料和有机色素褪色，因此，次氯酸可用作棉、麻和纸张的漂白剂。

次氯酸是很弱的酸，只存在于水溶液中。次氯酸不稳定，在光照下容易分解放出氧气：

$$2HClO \xrightarrow{\text{光照}} 2HCl + O_2\uparrow$$

3. 与碱的反应

最初，人们直接用氯水作漂白剂，但因氯气的溶解度不大，而且生成的 HClO 不稳定，难以保存，使用起来很不方便，效果也不理想。在 Cl_2 与水反应原理的基础上，人们制得了次氯酸钠（NaClO）、次氯酸钙 $[Ca(ClO)_2]$ 等具有漂白作用的次氯酸盐。

在常温下，将 Cl_2 通入 NaOH 溶液中，可以得到以 NaClO 为有效成分的漂白液，反应的化学方程式如下：

$$Cl_2 + 2NaOH = NaCl + NaClO + H_2O$$

NaClO 虽然也会分解，但它的水溶液在低温下存放三年才分解一半左右，比 HClO 稳定得多。

和 Cl_2 与 NaOH 的反应类似，将 Cl_2 通入冷的石灰乳 $[Ca(OH)_2]$ 中，即制得以 $Ca(ClO)_2$ 为有效成分的漂白粉：

$$2Cl_2 + 2Ca(OH)_2 = Ca(ClO)_2 + CaCl_2 + 2H_2O$$

如果 Cl_2 与 $Ca(OH)_2$ 反应充分，并使 $Ca(ClO)_2$ 成为主要成分，则得到漂粉精。

漂白液、漂白粉和漂粉精既可作漂白棉、麻、纸张的漂白剂，又可用作游泳池等场所的消毒剂。

图2-15　漂粉精等可用于游泳池的消毒

验证次氯酸光照分解产物的数字化实验

数字化实验将传感器、数据采集器和计算机依次相连，采集实验过程中各种物理量（如pH、温度、压强、电导率等）变化的数据并记录和呈现，通过软件对数据进行分析，获得实验结论。也就是说，数字化实验是利用传感器和信息处理终端进行实验数据的采集与分析。

验证次氯酸光照分解的产物可以设计成数字化实验。实验步骤如下：（1）将pH传感器、

氯离子传感器、氧气传感器分别与数据采集器、计算机连接；（2）将三种传感器分别插入盛有氯水的广口瓶中；（3）用强光照射氯水，同时开始采集数据。此实验可以测定光照过程中氯水的pH、氯水中氯离子的浓度、广口瓶中氧气的体积分数这三者的变化，并通过计算机的数据处理功能将这些变化显示在计算机屏幕上（如图2-16）。通过对数据进行分析，最终可验证次氯酸光照分解的产物。

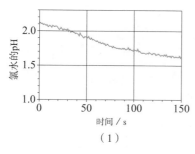
（1）

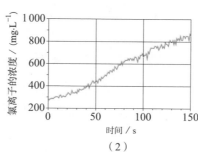
（2）

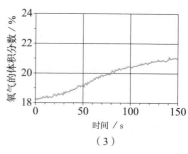
（3）

图2-16　光照过程中氯水的pH、氯水中氯离子的浓度、广口瓶中氧气的体积分数的变化

二、氯气的实验室制法

舍勒发现氯气的方法至今还是实验室中制取氯气的主要方法之一。

在实验室中，通常用浓盐酸与二氧化锰反应来制取氯气，装置如图2-17所示。反应的化学方程式如下：

$$MnO_2 + 4HCl(浓) \xrightarrow{\triangle} MnCl_2 + Cl_2\uparrow + 2H_2O$$

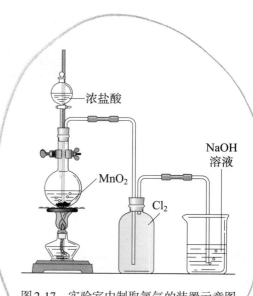

图2-17　实验室中制取氯气的装置示意图

🄌 思考与讨论

（1）观察图2-17所示的装置，你能说出其中NaOH溶液的作用吗？

（2）结合初中所学的氧气、二氧化碳等气体的实验室制取方法讨论：在设计实验室制取气体的装置时，应考虑哪些方面？

方法导引

实验室中制取气体装置的设计

实验室中制取气体的装置包括发生装置和收集装置，根据实际需要，还可增加除杂装置和尾气处理装置等。

选择各部分装置时，应注意：依据反应物的状态和反应条件，选择气体的发生装置；依据气体及其所含杂质的性质，选择除杂装置；依据气体的密度、气体在水中的溶解性，以及是否与水反应，选择收集装置；依据气体的性质，选择尾气处理装置。

装置的连接顺序一般为：发生装置→除杂装置（如需要）→收集装置→尾气处理装置（如需要）。

三、氯离子的检验

氯气能与很多金属反应生成盐，其中大多数盐能溶于水并电离出氯离子。对于可溶性氯化物中的氯离子，可以用 $AgNO_3$ 溶液和稀硝酸进行检验。

【实验2-9】

在三支试管中分别加入 2~3 mL 稀盐酸、NaCl 溶液、Na_2CO_3 溶液，然后各滴入几滴 $AgNO_3$ 溶液，观察现象。再分别加入少量稀硝酸，观察现象。

可以看到，滴入 $AgNO_3$ 溶液后，三支试管中都有白色沉淀生成。前两支试管中的白色沉淀不溶于稀硝酸，这是 AgCl 沉淀；第三支试管中的沉淀溶于稀硝酸，这是 Ag_2CO_3 沉淀。前两支试管中发生的离子反应是相同的，可用同一个离子方程式表示：

$$Cl^- + Ag^+ = AgCl\downarrow$$

第三支试管中发生的离子反应是：

$$CO_3^{2-} + 2Ag^+ = Ag_2CO_3\downarrow$$

Ag_2CO_3 可溶于稀硝酸：

$$Ag_2CO_3 + 2H^+ = 2Ag^+ + CO_2\uparrow + H_2O$$

显然，如果溶液中存在 CO_3^{2-} 时，用 $AgNO_3$ 溶液检验

Cl⁻的实验就会受到干扰。因此，在用$AgNO_3$溶液检验Cl⁻时，一般先在被检测的溶液中滴入适量稀硝酸，使其酸化，以排除CO_3^{2-}等的干扰，然后滴入$AgNO_3$溶液，如产生白色沉淀，则可判断该溶液中含有Cl⁻。

🏭 化学与职业

水质检验员

水质检验员是指对天然水、工业用水、生活用水等的物理性质、化学性质及生物性质进行检验和评定的专业技术人员。水质检验的目的是考察和研究环境质量、水的污染性或水受污染的程度、水质是否适宜使用，以及水处理过程的效率等。自来水厂，污水处理厂，玻璃加工、制药、食品和化工企业等都需要进行水质检验。例如，自来水厂水质检验员的工作就是在自来水出厂前，利用化学分析仪器等对水中的一些物质，如硫酸根离子、氯离子、放射性物质、微生物和有机物等进行检测，并对检测数据进行分析，

以确保百姓家中的自来水达到国家《生活饮用水卫生标准》。

图2-18　水质检验员在检测水样

练习与应用

1. 下列生活中的物质与其有效成分的化学式、用途的对应关系中，不正确的是（　　　）。

选项	A	B	C	D
生活中的物质	食盐	小苏打	复方氢氧化铝片	漂白粉
有效成分的化学式	NaCl	Na_2CO_3	$Al(OH)_3$	$Ca(ClO)_2$
用途	做调味品	做发酵粉	做抗酸药	做消毒剂

2. 下列说法中，不正确的是（　　　）。

　　A. 燃烧一定伴有发光现象　　　　　B. 燃烧一定是氧化还原反应

　　C. 燃烧一定要有氧气参加　　　　　D. 燃烧一定会放出热量

3. 如右图所示，在A处通入未经干燥的氯气。当关闭B处的弹簧夹时，C处的红布条看不到明显现象；当打开B处的弹簧夹后，C处的红布条逐渐褪色。则D瓶中盛放的溶液可能是（　　　）。

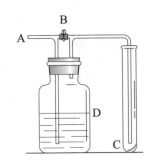

①饱和NaCl溶液　　②NaOH溶液　　③H₂O　　④浓硫酸

A. ①②　　　　B. ①③　　　　C. ②④　　　　D. ③④

4. 请填写下列空白。

（1）在常温下，将Cl_2通入$NaOH$溶液中，可以得到一种漂白液。上述反应的离子方程式为＿＿＿＿＿＿
＿＿＿＿＿＿＿＿＿＿＿＿＿＿＿＿＿＿＿，该漂白液的有效成分是＿＿＿＿＿＿（填名称）。

（2）检验某溶液中是否含有Cl^-的方法是＿＿＿＿＿＿＿＿＿＿＿＿＿＿＿＿＿，有关反应的离子方程
式为＿＿＿＿＿＿＿＿＿＿＿＿＿＿＿＿＿＿。

5. $NaCl$是一种化工原料，可以制备多种物质，如下图所示。

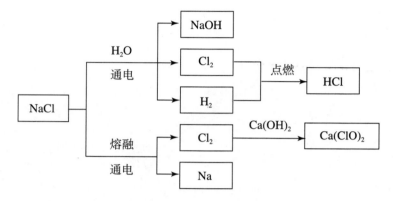

请根据以上转化关系填写下列空白。

（1）氯化钠溶液通电后，发生反应的离子方程式为＿＿＿＿＿＿＿＿＿＿＿＿＿＿＿＿＿＿＿＿＿＿；
氢气在氯气中燃烧的现象是＿＿＿＿＿＿＿＿＿＿＿＿＿＿＿＿＿＿＿＿＿＿。

（2）Cl_2与$Ca(OH)_2$反应的化学方程式为＿＿＿＿＿＿＿＿＿＿＿＿＿＿＿＿＿＿；从氧化剂和还
原剂的角度分析，该反应中Cl_2的作用是＿＿＿＿＿＿＿＿＿＿。

6. 请回答下列问题。

（1）氯气可用于自来水的杀菌、消毒。请用化学方程式和简要的文字说明理由。

（2）漂白粉或漂粉精中的$Ca(ClO)_2$能与空气中的CO_2和水蒸气发生如下反应：

$$Ca(ClO)_2 + CO_2 + H_2O = CaCO_3\downarrow + 2HClO$$

根据以上反应，你认为购买和存放漂白粉或漂粉精时应注意哪些问题。

7. 实验室中为进行有关氯气的性质实验，需要4瓶体积为100 mL的氯气。（常温下，氯气的密度为
2.91 g/L。）

（1）制取4瓶氯气，理论上需要MnO_2的质量是多少？

（2）实际称取的MnO_2固体的质量必须适当多于理论量，主要原因是什么？

8. 氯气用途广泛，是一种重要的化工原料，因此氯气的发现具有重要的意义。但是，在第一次世界大
战期间，氯气被用来制作毒气弹，使受害者的身体遭受严重伤害。科学家是否应进行类似氯气这类
有可能被错误利用的物质的研究？请谈谈你的看法。

第三节
物质的量

从宏观上看，发生化学反应的物质之间是按照一定的质量关系进行的，物质是可称量的。从微观上看，化学反应是微观粒子按一定的数目关系进行的，而微观粒子是难以称量的。那么，对化学反应进行定量研究时，能否将可称量的物质与难以称量的微观粒子之间联系起来呢？为此，国际上采用了一个新的物理量——物质的量。

一、物质的量的单位——摩尔

在日常生活、生产和科学研究中，人们常常根据不同的需要使用不同的计量单位。例如，用米、厘米等来计量长度；用千克、毫克等来计量质量；等等。同样，人们用摩尔作为计量原子、离子或分子等微观粒子的"物质的量"的单位。

物质的量是一个物理量，它表示含有一定数目粒子的集合体，符号为n。物质的量的单位为摩尔，简称摩，符号为mol。国际上规定，1 mol粒子集合体所含的粒子数约为6.02×10^{23}。1 mol任何粒子的粒子数叫做阿伏加德罗常数，符号为N_A，通常用$6.02 \times 10^{23} \, \text{mol}^{-1}$表示。

物质的量、阿伏加德罗常数与粒子数（N）之间存在着下述关系：

$$n = \frac{N}{N_A}$$

物质的量	amount of substance
摩尔	mole

资料卡片

国际单位制（SI）的7个基本单位

物理量	单位名称	单位符号
长度	米	m
质量	千克(公斤)	kg
时间	秒	s
电流	安[培]	A
热力学温度	开[尔文]	K
物质的量	摩[尔]	mol
发光强度	坎[德拉]	cd

18 g H_2O
约 6.02×10^{23} 个水分子
1 mol H_2O

27 g Al
约 6.02×10^{23} 个铝原子
1 mol Al

图2-19　1 mol物质的质量及所含粒子数

作为物质的量的单位，mol可以计量所有微观粒子（包括原子、分子、离子、原子团、电子、质子、中子等），如1 mol Fe、1 mol O_2、1 mol Na^+、1 mol SO_4^{2-}等。

1 mol不同物质中所含的粒子数是相同的，但由于不同粒子的质量不同，1 mol不同物质的质量也不同。例如，1 mol H_2O所含的水分子数和1 mol Al所含的铝原子数都约是6.02×10^{23}，但它们的质量不同（如图2-19）。

1 mol H_2O的质量是18 g，约含有6.02×10^{23}个水分子；
0.5 mol H_2O的质量是9 g，约含有3.01×10^{23}个水分子；
1 mol Al的质量是27 g，约含有6.02×10^{23}个铝原子；
2 mol Al的质量是54 g，约含有1.204×10^{24}个铝原子。

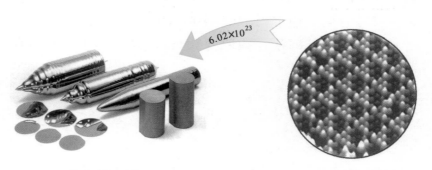

单晶硅（宏观物质）　　　　硅原子（微观粒子）

图2-20　宏观物质与微观粒子之间存在着一定的联系

1 mol任何粒子集合体都约含有6.02×10^{23}个粒子；而1 mol任何粒子或物质的质量以克为单位时，其数值都与该粒子的相对原子质量或相对分子质量相等。单位物质的量的物质所具有的质量叫做**摩尔质量**。摩尔质量的符号为M，常用的单位为g/mol（或g·mol^{-1}）。例如：

摩尔质量　molar mass

　　Na的摩尔质量是23 g/mol；

　　KCl的摩尔质量是74.5 g/mol；

　　Cl$_2$的摩尔质量是71 g/mol；

　　CO$_3^{2-}$的摩尔质量是60 g/mol。

342 g 蔗糖

18 g H$_2$O

32 g S　　63.5 g Cu　　27 g Al　　65 g Zn　　58.5 g NaCl　　56 g Fe

图2-21　物质的量为1 mol的几种物质

　　物质的量（n）、质量（m）和摩尔质量（M）之间存在着下述关系：

$$n = \frac{m}{M}$$

　　【例题1】 26.5 g Na$_2$CO$_3$的物质的量是多少？

　　【解】 Na$_2$CO$_3$的相对分子质量为106，摩尔质量为106 g·mol^{-1}。

$$
\begin{aligned}
n(\text{Na}_2\text{CO}_3) &= \frac{m(\text{Na}_2\text{CO}_3)}{M(\text{Na}_2\text{CO}_3)} \\
&= \frac{26.5 \text{ g}}{106 \text{ g·mol}^{-1}} \\
&= 0.25 \text{ mol}
\end{aligned}
$$

　　答：26.5 g Na$_2$CO$_3$的物质的量是0.25 mol。

二、气体摩尔体积

　　在科学研究或实际生产中，涉及气态物质时，测量体积往往比称量质量更方便。所以，气体一般都是测量体积，而不是称量质量。那么，气体体积与物质的量之间有什么关系呢？

思考与讨论

在一定条件下，1 mol不同物质的体积如下表所示。观察并分析表中的数据，你能得出哪些结论？与同学讨论。

气体	0 ℃、101 kPa时的体积/L	液体	20 ℃时的体积/cm³	固体	20 ℃时的体积/cm³
H_2	22.4	H_2O	18.0	Fe	7.12
O_2	22.4	H_2SO_4	53.6	Al	10.0

我们知道，物质体积的大小取决于构成这种物质的粒子数目、粒子的大小和粒子之间的距离这三个因素。

1 mol任何物质中的粒子数目都是相同的，均约为6.02×10^{23}。因此，在粒子数目相同的情况下，物质体积的大小就主要取决于构成物质的粒子的大小和粒子之间的距离。

1 mol不同的固态物质或液态物质含有的粒子数相同，而粒子之间的距离是非常小的，这就使得固态物质或液态物质的体积主要取决于粒子的大小。但因为不同物质的粒子大小是不相同的，所以，1 mol不同的固态物质或液态物质的体积是不相同的。

对于气体来说，粒子之间的距离（一般指平均距离）远远大于粒子本身的直径，所以，当粒子数相同时，气体的体积主要取决于气体粒子之间的距离。而在相同的温度和压强下，任何气体粒子之间的距离可以看成是相等的，因此，粒子数相同的任何气体都具有相同的体积。这一规律在19世纪初就已经被发现了。

我们也可以说，在相同的温度和压强下，相同体积的任何气体都含有相同数目的粒子。

单位物质的量的气体所占的体积叫做**气体摩尔体积**，符号为V_m，常用的单位有L/mol（或L·mol^{-1}）和m³/mol（或m³·mol^{-1}）。

气体摩尔体积
molar volume of gas

$$V_m = \frac{V}{n}$$

气体摩尔体积的数值不是固定不变的，它取决于气体所处的温度和压强。例如，在0 ℃和101 kPa（通常称为标准状况）的条件下，气体摩尔体积约为22.4 L/mol；在25 ℃和101 kPa的条件下，气体摩尔体积约为24.5 L/mol。

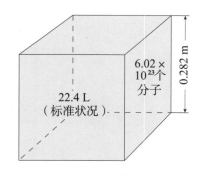

图2-22 标准状况下的气体摩尔体积示意图

三、物质的量浓度

在生产和科学实验中，我们常常要用到溶液，因此要用到表示浓度的物理量。溶液中溶质的质量分数就是这样一个物理量，它是以溶质的质量与溶液的质量之比来表示溶液中溶质与溶液的质量关系的。但是，我们在很多情况下取用溶液时，一般不是称量它的质量，而是量取它的体积。在化学反应中，反应物与生成物之间的物质的量的比例关系是由化学方程式中的化学计量数所决定的。如果知道一定体积的溶液中溶质的物质的量，对于计算化学反应中各物质之间量的关系是非常便利的，对生产和科学研究也有重要意义。

1. 物质的量浓度

物质的量浓度表示单位体积的溶液里所含溶质B[1]的物质的量，也称为B的物质的量浓度，符号为c_B。

$$c_B = \frac{n_B}{V}$$

物质的量浓度常用的单位为mol/L（或mol·L^{-1}）。如果1 L溶液中含有1 mol溶质，这种溶液中溶质的物质的量浓度就是1 mol/L。

B的物质的量浓度
amount-of-substance
concentration of B

序号	项目名称	英文缩写	检查结果	单位	参考范围
12	*钾	K	4.1	mmol/L	3.5-5.5
13	*钠	Na	140	mmol/L	135-145
14	*氯	Cl	103	mmol/L	96-111
15	*钙	Ca	2.43	mmol/L	2.13-2.70
16	胱抑素C	CysC	0.78	mg/L	0.59-1.03
17	*肌酐(酶法)	Cr(E)	71	μmol/L	59-104
18	*尿素	Urea	4.18	mmol/L	2.78-7.14
19	*葡萄糖	Glu	5.1	mmol/L	3.9-6.1
20	*尿酸	UA	310	μmol/L	210-416
21	*无机磷	P	1.19	mmol/L	0.81-1.45
22	*总胆固醇	TC	4.65	mmol/L	2.85-5.70
23	*甘油三酯	TG	1.50	mmol/L	0.45-1.70
24	高密度脂蛋白胆固醇	HDL-C	1.08	mmol/L	0.93-1.81

图2-23 体检的一些指标常用物质的量浓度表示

---

[1] B表示某种溶质。

我们知道了物质的量与质量的关系，以及用物质的量和溶液体积来表示浓度，就可以在实验室配制一定物质的量浓度的溶液了。

【例题2】配制 500 mL 0.1 mol/L NaOH 溶液，需要 NaOH 的质量是多少？

【分析】可以先通过物质的量浓度的定义，根据 $n_B=c_B·V$，求得 NaOH 的物质的量。然后通过质量与物质的量的关系，根据 $m=n·M$，求得 NaOH 的质量。

【解】500 mL 0.1 mol/L NaOH 溶液中 NaOH 的物质的量为：

$n(NaOH)=c(NaOH)·V[NaOH(aq)]$[①]

$\quad\quad\quad=0.1\ mol/L×0.5\ L$

$\quad\quad\quad=0.05\ mol$

0.05 mol NaOH 的质量为：

$m(NaOH)=n(NaOH)·M(NaOH)$

$\quad\quad\quad=0.05\ mol×40\ g/mol$

$\quad\quad\quad=2\ g$

答：需要 NaOH 的质量是 2 g。

2. 配制一定物质的量浓度的溶液

在实验室中，我们可以直接用固体或液体试剂来配制一定物质的量浓度的溶液。如果要求比较精确，就需使用容积精确的仪器，如容量瓶。容量瓶有不同的规格，常用的有 50 mL、100 mL、250 mL、500 mL 和 1 000 mL 等几种。

图2-24　容量瓶

📑 资料卡片

容量瓶的使用

容量瓶是细颈、梨形的平底玻璃瓶，瓶口配有磨口玻璃塞或塑料塞。容量瓶常用于配制一定体积、一定浓度的溶液。容量瓶上标有温度（一般为 20 ℃）和容积，表示在所指温度下，液体的凹液面与容量瓶颈部的刻度线相切时，溶液体积恰好与瓶上标注的容积相等。

使用容量瓶时要注意以下几点：

（1）容量瓶瓶塞须用结实的细绳系在瓶颈上，以防止损坏或丢失。

（2）在使用前，首先要检查容量瓶是否完好，瓶口处是否漏水。经检查不漏水的容量瓶才能使用。

（3）容量瓶使用完毕，应洗净、晾干。（对于玻璃磨口瓶塞，应在瓶塞与瓶口处垫一张纸条，以免瓶塞与瓶口粘连。）

---

① aq 表示某种物质的水溶液，如 NaOH(aq) 表示 NaOH 的水溶液。

在用固体试剂配制溶液时，首先需要根据所配溶液的体积和溶质的物质的量浓度，计算出所需溶质的质量。然后根据所要配制的溶液的体积，选用合适的容量瓶。

🧪 【实验2-10】

配制 100 mL 1.00 mol/L NaCl溶液。

（1）计算需要NaCl固体的质量：_____ g。

（2）根据计算结果，称量NaCl固体[①]。

（3）将称好的NaCl固体放入烧杯中，加入适量蒸馏水，用玻璃棒搅拌，使NaCl固体全部溶解。

（4）将烧杯中的溶液沿玻璃棒注入100 mL容量瓶（如图2-25），并用少量蒸馏水洗涤烧杯内壁和玻璃棒2~3次，将洗涤液也都注入容量瓶。轻轻摇动容量瓶，使溶液混合均匀。

（5）将蒸馏水注入容量瓶，当液面离容量瓶颈部的刻度线1~2 cm时，改用胶头滴管滴加蒸馏水至溶液的凹液面与刻度线相切。盖好瓶塞，反复上下颠倒，摇匀。

（6）将配制好的溶液倒入试剂瓶中，并贴好标签。

图2-25　向容量瓶中转移溶液

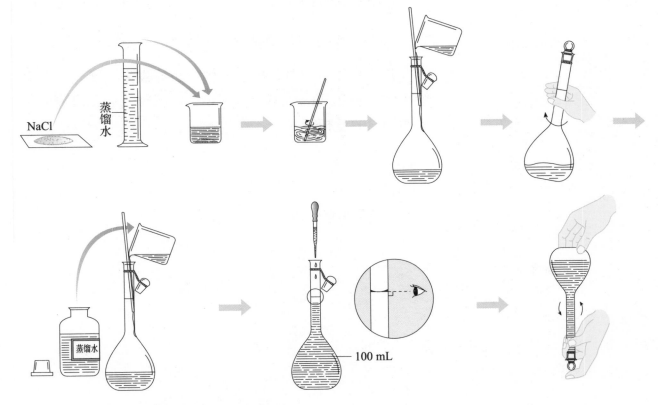

图2-26　配制一定物质的量浓度的NaCl溶液过程示意图

[①] 为了与容量瓶的精度相匹配，称量固体时应使用分析天平。考虑到学校的实际情况，本实验可暂用托盘天平或普通电子天平代替。

思考与讨论

（1）为什么要用蒸馏水洗涤烧杯内壁和玻璃棒2~3次，并将洗涤液也都注入容量瓶?

（2）如果将烧杯中的溶液转移到容量瓶时不慎洒到容量瓶外，最后配成的溶液中溶质的实际浓度比所要求的大了还是小了？

（3）如果在读数时，仰视或者俯视容量瓶上的刻度线，最后配成的溶液中溶质的实际浓度比所要求的大了还是小了？

　　同一物质的溶液浓度不同时，有时在某些性质上会表现出差异。我们在实验室中做化学实验或进行科学研究时，需要根据不同的情况选择不同浓度的溶液。所以，在实验室中不仅用固体物质来配制溶液，还经常要将浓溶液稀释成不同浓度的稀溶液。

　　在用浓溶液配制稀溶液时，常用下面的式子计算有关的量：

$$c(浓溶液) \cdot V(浓溶液) = c(稀溶液) \cdot V(稀溶液)$$

　　在稀释浓溶液时，溶液的体积虽然发生了变化，但溶液中溶质的物质的量不变。即在溶液稀释前后，溶液中溶质的物质的量相等。

1. 在 0.5 mol Na_2SO_4 中含有 Na^+ 的数目约为（　　　）个。

    A. 3.01×10^{23} 　　　B. 6.02×10^{23} 　　　C. 0.5 　　　　　　D. 1

2. 瓦斯中甲烷与氧气的质量比为 1：4 时极易发生爆炸，此时甲烷与氧气的体积比为（　　　）。

    A. 1：4 　　　　　B. 1：2 　　　　　C. 1：1 　　　　　D. 2：1

3. 将 30 mL 0.5 mol/L NaOH 溶液加水稀释到 500 mL，稀释后溶液中 NaOH 的物质的量浓度为（　　　）。

    A. 0.3 mol/L 　　　　B. 0.03 mol/L 　　　　C. 0.05 mol/L 　　　　D. 0.04 mol/L

4. 阅读并分析体检报告，可以初步判断体检者的身体状况。

    （1）在图 2-23 所示的体检报告中，表示葡萄糖指标的物理量是＿＿＿＿＿＿＿（填字母）。

    　　a. 质量分数　　　　　b. 溶解度　　　　　　c. 摩尔质量　　　　　d. 物质的量浓度

    （2）查看自己或家人的体检报告，哪些项目的指标是用物质的量浓度表示的？

    （3）检测人的血液中葡萄糖（简称血糖，葡萄糖的相对分子质量为 180）的含量，参考指标常以两种计量单位表示，即 "mmol/L" 和 "mg/dL"（1 L=10 dL）。以 "mmol/L" 表示时，人的血糖正常值为 3.9~6.1 mmol/L。如果以 "mg/dL" 表示，血糖正常值范围是多少？若某人的血糖检测结果为 92 mg/dL，他（她）的血糖正常吗？

5. 某同学用容量瓶配制溶液，加水时不慎超过了刻度线，他（她）把液体倒出一些，重新加水至刻度线。这样做会造成什么结果？

6. 配制 250 mL 1.0 mol/L H_2SO_4 溶液，需要 18 mol/L H_2SO_4 溶液的体积是多少？

7. 成人每天从食物中摄取的几种元素的质量分别为：0.8 g Ca、0.3 g Mg、0.2 g Cu 和 0.01 g Fe，试求这 4 种元素的物质的量之比。

8. 右图是某种饮用矿泉水标签的部分内容。请阅读这种矿泉水的标签并计算：

    （1）Mg^{2+} 的物质的量浓度最大是多少？

    （2）SO_4^{2-} 的物质的量最大是多少？

9. 现有 0.270 kg 质量分数为 10% 的 $CuCl_2$ 溶液。计算该溶液中：

    （1）$CuCl_2$ 的物质的量；

    （2）Cu^{2+} 和 Cl^- 的物质的量。

10. 查阅资料，了解物质的量及其相关的物理量在生活和生产中的应用。

×××
（饮用矿泉水）

净含量：350 mL

配料表：纯净水、硫酸镁、氯化钾

保质期：12 个月

主要成分：水

　　　　钾离子（K^+）：1.0~27.3 mg/L

　　　　镁离子（Mg^{2+}）：0.1~4.8 mg/L

　　　　氯离子（Cl^-）：10~27.3 mg/L

　　　　硫酸根离子（SO_4^{2-}）：0.4~19.5 mg/L

一、物质的性质及转化

1. 原子结构与物质性质的关系

请以钠和氯气为例，运用元素的原子结构知识解释物质的性质。

2. 物质的性质、制法和用途

（1）分类认识物质的性质。

请选择钠、过氧化钠、碳酸钠和碳酸氢钠中的一种或几种，列表总结其物理性质、化学性质和用途等。

（2）基于性质，认识实验室制取物质的方法，了解物质的用途。

请以氯气为例进行说明。

3. 物质间的转化关系

（1）以不同类别物质间的转化为线索，认识钠及其化合物。

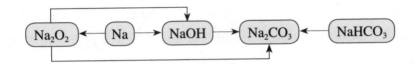

（2）以含不同价态同种元素的物质间的转化为线索，认识氯及其化合物。

$$\overset{+1}{Cl} \longleftarrow \overset{0}{Cl} \Longleftarrow \overset{-1}{Cl}$$

二、宏观物质与微观粒子间的计量关系

1. 物质的量

宏观物质的计量（如质量、体积）与微观粒子的计量（如数目）间可通过物质的量联系在一起。

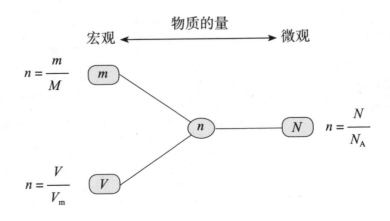

2. 物质的量浓度

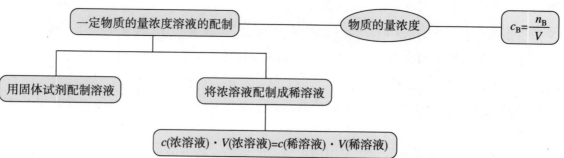

一定物质的量浓度溶液的配制 ── 物质的量浓度 ── $c_B = \dfrac{n_B}{V}$

用固体试剂配制溶液　　将浓溶液配制成稀溶液

$c(浓溶液)\cdot V(浓溶液)=c(稀溶液)\cdot V(稀溶液)$

复习与提高

1. 下列物质中，既含有氯分子，又含有氯离子的是（　　）。

　A. 氯化钠溶液　　　　　　B.新制氯水　　　　　C.漂白粉　　　　　D.液氯

2. 下列物质中，不能由单质直接化合生成的是（　　）。

　A. $CuCl_2$　　　　　　　　B. $FeCl_2$　　　　　C. HCl　　　　　D. $AlCl_3$

3. 在相同体积、相同物质的量浓度的酸中，一定相等的是（　　）。

　A. 溶质的质量　　　　　　　　　　　　B. 溶质的质量分数

　C. 溶质的物质的量　　　　　　　　　　D. 氢离子的物质的量

4. 下列说法中，正确的是（　　）。

　A. 22.4 L N_2 中一定含有 2 mol N

　B. 80 g NaOH溶解在 1 L 水中，所得溶液中溶质的物质的量浓度为 2 mol/L

　C. 在标准状况下，20 mL NH_3 和 60 mL O_2 所含分子个数比为 1∶3

　D. 18 g H_2O 在标准状况下的体积约为 22.4 L

5. 钠长期置于空气中，最后形成的物质是_____（填化学式），该物质与氯化钙溶液混合后，发生反应的离子方程式为_____。

6. CO 和 CO_2 是碳的两种重要氧化物。

　（1）在标准状况下，5.6 L CO 的物质的量是_____，质量是_____。

　（2）11 g CO_2 的体积是_____（标准状况）。

　（3）相同质量的 CO 和 CO_2 所含的原子个数比是_____。

7. 现有 X、Y、Z 三种元素。

　①X 的单质可以在 Z 的单质中燃烧，生成 XZ，燃烧时火焰为苍白色。

　②X 的单质可与 Y 的单质化合，生成 X_2Y。X_2Y 在常温下为液体。

　③Z 的单质溶于 X_2Y 中，所得溶液具有漂白性。

　请填写下列空白。

　（1）X、Y、Z 的元素符号分别为_____、_____、_____。

　（2）将 XZ 的水溶液滴入 Na_2CO_3 溶液中，有气泡产生，反应的离子方程式为_____

　　　_____。

（3）Z的单质溶于X_2Y中，反应的化学方程式为_____。

8. 在日常生活中常常会使用消毒剂、清洁剂等。

（1）曾有报道，在清洗卫生间时，因混合使用"洁厕灵"（主要成分是稀盐酸）与"84"消毒液（主要成分是$NaClO$）而发生氯气中毒事件。请从氧化还原反应的角度分析原因：_____
_____。

（2）请查阅资料，了解日常生活中常用的消毒剂、清洁剂的主要成分，并谈谈应如何正确地使用它们。

9. 碳酸钠在外观上与氯化钠相似，可做家用洗涤剂，如清洗厨房用具的油污等。请设计实验区分氯化钠和碳酸钠，说出实验操作和现象。

10. 请选择适当的化学试剂和实验用品，用下图所示的装置（C中盛放的是过氧化钠）进行实验，证明过氧化钠可在呼吸面具和潜水艇中做供氧剂。

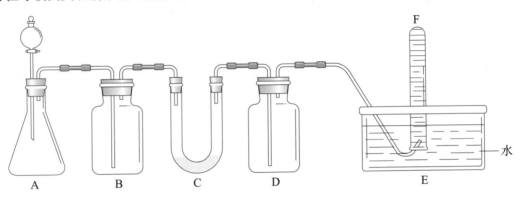

（1）A是实验室中制取CO_2的装置。写出A中发生反应的离子方程式：_____。

（2）填写下表中的空白。

装置序号	加入的试剂	加入该试剂的目的
B	饱和$NaHCO_3$溶液	
D		

（3）写出C中发生反应的化学方程式：_____。

（4）F中得到的是_____。如何验证？

11. 用胶头滴管将新制的饱和氯水慢慢滴入含有酚酞的氢氧化钠稀溶液中，当滴到一定量时，红色突然褪去。试回答下列问题。

（1）产生上述现象的原因可能有两种：

①_____；

②_____。

（2）怎样用实验证明红色褪去的原因是①或②？

12. 某种胃药的有效成分为碳酸钙，测定其中碳酸钙含量的操作如下(设该药片中的其他成分不与盐酸或氢氧化钠反应)：

①配制0.10 mol/L稀盐酸和0.10 mol/L NaOH溶液；

②向一粒研碎后的药片（0.10 g）中加入20.00 mL蒸馏水；

③用0.10 mol/L NaOH溶液中和过量的稀盐酸，记录所消耗NaOH溶液的体积；

④加入25.00 mL 0.10 mol/L稀盐酸。

请回答下列问题。

（1）正确的操作顺序是＿＿＿＿＿＿＿＿（填序号）。

（2）测定过程中发生反应的离子方程式为＿＿＿＿＿＿＿＿＿＿＿＿＿；＿＿＿＿＿＿＿＿＿＿＿＿＿＿＿。

（3）该测定实验共进行了4次。实验室现有50 mL、100 mL、250 mL、500 mL 4种规格的容量瓶，则配制盐酸应选用的容量瓶的规格为＿＿＿＿＿＿＿，理由是＿＿＿＿＿＿＿＿＿＿＿＿＿＿＿。

（4）某同学4次测定所消耗的NaOH溶液的体积如下：

测定次数	第1次	第2次	第3次	第4次
V[NaOH(aq)]/mL	13.00	12.90	13.10	13.00

根据这个同学的实验数据，计算这种药片中碳酸钙的质量分数。

--------------------------------- 实验活动 1 ---------------------------------

配制一定物质的量浓度的溶液

【实验目的】

1. 练习容量瓶的使用方法。

2. 练习配制一定物质的量浓度的溶液。

3. 加深对物质的量浓度概念的认识。

【实验用品】

烧杯、容量瓶（100 mL）、胶头滴管、量筒、玻璃棒、药匙、滤纸、天平。

NaCl、蒸馏水。

【实验步骤】

1. 配制100 mL 1.00 mol/L NaCl溶液

（1）计算溶质的质量。

计算配制100 mL 1.00 mol/L NaCl溶液所需NaCl固体的质量。

（2）称量。

在天平上称量出所需质量的NaCl固体。

（3）配制溶液。

把称好的NaCl固体放入烧杯中，再向烧杯中加入40 mL蒸馏水，用玻璃棒搅拌，使NaCl固体完全溶解。

将烧杯中的溶液沿玻璃棒注入100 mL容量瓶，用少量蒸馏水洗涤烧杯内壁和玻璃棒

2~3次，并将洗涤液也都注入容量瓶。轻轻摇动容量瓶，使溶液混合均匀。

继续向容量瓶中加入蒸馏水，直到液面在刻度线以下1~2 cm时，改用胶头滴管滴加蒸馏水，至液面与刻度线相切。盖好容量瓶瓶塞，反复上下颠倒，摇匀。

（4）将配制好的溶液倒入试剂瓶中，贴好标签。

2. 用1.00 mol/L NaCl溶液配制100 mL 0.50 mol/L NaCl溶液

（1）计算所需1.00 mol/L NaCl溶液的体积。

计算配制100 mL 0.50 mol/L NaCl溶液所需1.00 mol/L NaCl溶液的体积。

（2）量取1.00 mol/L NaCl溶液的体积。

用量筒[①]量取所需体积的1.00 mol/L NaCl溶液并注入烧杯中。

（3）配制溶液。

向盛有1.00 mol/L NaCl溶液的烧杯中加入20 mL蒸馏水，用玻璃棒慢慢搅动，使其混合均匀。

将烧杯中的溶液沿玻璃棒注入容量瓶。用少量蒸馏水洗涤烧杯内壁和玻璃棒2~3次，并将洗涤液也都注入容量瓶。

继续向容量瓶中加入蒸馏水，直到液面在刻度线以下1~2 cm时，改用胶头滴管滴加蒸馏水，至液面与刻度线相切。盖好容量瓶瓶塞，反复上下颠倒，摇匀。

（4）将配制好的100 mL 0.50 mol/L NaCl溶液倒入指定的容器中。

【问题和讨论】

将烧杯中的溶液注入容量瓶以后，为什么要用蒸馏水洗涤烧杯内壁和玻璃棒2~3次，并将洗涤液也都注入容量瓶？

---

① 使用容量瓶配制溶液时，应同时使用移液管移取液体试剂。从中学的实际情况考虑，本实验暂用量筒代替移液管。

第三章
铁　金属材料

- 铁及其化合物
- 金属材料

　　人类在四千五百多年前就开始使用铁器。铁是目前产量最大、使用最广泛的金属。铁及其化合物具有怎样的性质？应如何进行研究呢？通过研究铁及其化合物的性质和用途，可以使我们从物质类别和元素价态的视角认识物质间的转化关系，深化对物质及其变化多样性的认识。

　　金属材料对于促进生产发展、改善人类生活发挥了巨大作用。对不同类型合金的性能和用途的认识，可以进一步强化性能决定用途的观念。

第一节
铁及其化合物

图3-1 陨铁

铁 iron

人类最早使用的铁，是来自太空的陨铁[①]（如图3-1）。铁在自然界中可以像陨铁中的铁那样以单质形态存在，但主要是以+2价和+3价化合物的形态存在于矿石中。铁元素在地壳中的含量仅次于氧、硅和铝，居第四位。

图3-2 丹霞地貌的岩层因含Fe_2O_3而呈红色

我国目前发现最早的人工冶铁制品是甘肃灵台出土的春秋初年秦国的铜柄铁剑，这说明春秋初年我国已掌握了冶铁技术。战国中期以后，铁制工具在社会生产中发挥了巨大的作用。工业炼铁的原理是用还原的方法把铁从铁矿石中提炼出来。你还记得炼铁高炉内发生的化学反应吗？

图3-3 战国时期最大的铁器——长方形铁炉

---

① 陨铁是从太空坠落于地球表面的含铁质较多的陨星。

一、铁的单质

铁有延展性和导热性。铁能导电，但其导电性不如铜和铝。铁能被磁体吸引。铁的化学性质比较活泼，它能与许多物质发生化学反应。

💬 **数据**

铁

熔点：1 535 ℃
沸点：2 750 ℃
密度：7.86 g/cm³

❓ 思考与讨论

我们学习过铁与一些物质的反应，例如，铁与氯气的反应，铁与盐酸的反应，铁与硫酸铜溶液的反应等。在上述三个反应中，铁的化合价的变化有何异同？为什么会有这样的异同？

在一定条件下，铁作为还原剂能与某些非金属单质、酸和盐溶液反应。铁与氧化性较弱的氧化剂（如盐酸、硫酸铜等）反应，铁原子失去2个电子生成＋2价铁的化合物；而铁与氧化性较强的氧化剂（如氯气等）反应，铁原子则失去3个电子生成＋3价铁的化合物。

$$Fe - 2e^- \rightarrow Fe^{2+}$$ 亚铁
$$Fe - 3e^- \rightarrow Fe^{3+}$$ 铁

在钢铁厂的生产中，炽热的铁水或钢水注入模具之前，模具必须进行充分的干燥处理，不得留有水（如图3-4）。这是为什么呢？

图3-4　钢水注入干燥的模具

生活经验告诉我们，在常温下，铁与水是不发生反应的。那么，在高温下，铁能否与水发生反应呢？

有人设计了如图3-5所示的装置，进行还原铁粉与水蒸气反应的实验。请讨论该装置的实验原理，并根据实验现象，分析可能的生成物。

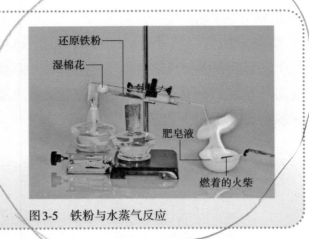

图3-5 铁粉与水蒸气反应

在这一实验中，红热的铁能与水蒸气发生反应，生成四氧化三铁和氢气。

$$3Fe + 4H_2O(g)^{①} \xrightarrow{\text{高温}} Fe_3O_4 + 4H_2$$

资料卡片

人体中的铁元素

铁在成人体中的含量为4~5 g，是人体必需微量元素中含量最多的一种。人体内的含铁化合物主要分为两类，即功能性铁和储存铁。功能性铁参与氧的运输，其余的铁与一些酶结合，分布于身体各器官。体内缺铁将会导致人的记忆能力、免疫能力和对温度的适应能力等生理功能下降。如果体内的铁不足以供给生命活动的需要，就会发生贫血。

为了满足生理需要，成人每天铁的适宜摄入量为15~20 mg。动物内脏、肉类、鱼类、蛋类等动物性食物中的铁容易被吸收。

一般蔬菜中铁的含量较少，吸收率也低，但我国膳食中一般食用蔬菜量很大，仍为铁的重要来源。我国已经实施在某些酱油中加入铁强化剂的措施，以减少缺铁性贫血问题的发生。

图3-6 铁强化酱油

二、铁的重要化合物

1. 铁的氧化物

铁元素可以形成三种氧化物，分别是氧化亚铁（FeO）、

---

① g代表气态，s代表固态，l代表液态。

氧化铁（Fe_2O_3）和四氧化三铁（Fe_3O_4）。FeO是一种黑色粉末，不稳定，在空气里受热，能迅速被氧化成Fe_3O_4。Fe_3O_4是一种复杂的化合物，是具有磁性的黑色晶体，俗称磁性氧化铁。Fe_2O_3是一种红棕色粉末，俗称铁红，常用作油漆、涂料、油墨和橡胶的红色颜料。

铁的氧化物都不溶于水，也不与水发生反应。

FeO 和 Fe_2O_3 是碱性氧化物，它们都能与酸发生反应，分别生成亚铁盐和铁盐。

$$FeO+2H^+ = Fe^{2+}+H_2O$$
$$Fe_2O_3+6H^+ = 2Fe^{3+}+3H_2O$$

图3-7　Fe_2O_3可作外墙涂料

2. 铁的氢氧化物

铁有两种氢氧化物，它们可以分别由相对应的可溶性盐与碱溶液反应而制得。

【实验3-1】

在两支试管中分别加入少量的$FeCl_3$溶液和$FeSO_4$溶液，然后各滴入NaOH溶液。观察并描述发生的现象。

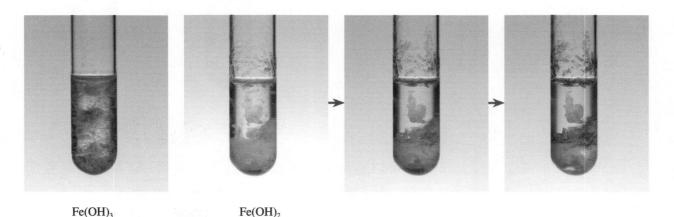

$Fe(OH)_3$　　　　　　$Fe(OH)_2$

图3-8　$Fe(OH)_3$ 和 $Fe(OH)_2$ 的生成

为什么在$FeSO_4$溶液中加入NaOH溶液时，生成的白色絮状沉淀迅速变成灰绿色，过一段时间后还会有红褐色物质生成呢？这是因为白色的氢氧化亚铁 [$Fe(OH)_2$] 被溶解在溶液中的氧气氧化成了红褐色的氢氧化铁 [$Fe(OH)_3$]，反应的化学方程式分别为：

$$FeSO_4+2NaOH = Fe(OH)_2\downarrow +Na_2SO_4$$
$$4Fe(OH)_2+O_2+2H_2O = 4Fe(OH)_3$$

氢氧化铁
iron(Ⅲ) hydroxide
氢氧化亚铁
iron(Ⅱ) hydroxide

加热$Fe(OH)_3$时，它能失去水生成红棕色的Fe_2O_3粉末。

$$2Fe(OH)_3 \xrightarrow{\triangle} Fe_2O_3 + 3H_2O$$

$Fe(OH)_2$和$Fe(OH)_3$都是不溶性碱，它们都能与酸发生反应。

> **？ 思考与讨论**
>
> 　　由实验3-1可知，白色的$Fe(OH)_2$会被溶解在溶液中的氧气氧化。那么，在实验室里，如何得到$Fe(OH)_2$呢？

3. 铁盐和亚铁盐

常见的铁盐有$Fe_2(SO_4)_3$、$FeCl_3$等，常见的亚铁盐有$FeSO_4$、$FeCl_2$等。

【实验3-2】

在两支试管中分别加入少量的$FeCl_3$溶液和$FeCl_2$溶液，各滴入几滴KSCN溶液。观察并记录现象。

图3-9　向$FeCl_3$溶液中滴入KSCN溶液（左），
向$FeCl_2$溶液中滴入KSCN溶液（右）

可以看到，含有Fe^{3+}的盐溶液遇到KSCN溶液时变成红色，我们可以利用这一反应检验Fe^{3+}的存在。

【实验3-3】

在盛有2 mL $FeCl_3$溶液的试管中加入过量铁粉，振荡试管。充分反应后，滴入几滴KSCN溶液（如图3-10左），观察并记录现象。把上层清液倒入另一支试管中，再滴入几滴氯水（如图3-10右），又发生了什么变化？

图3-10　Fe^{3+}被还原（左），Fe^{2+}被氧化（右）

在上述实验中，$FeCl_3$ 溶液中的 Fe^{3+} 被铁粉还原成 Fe^{2+}，Fe^{2+} 又被 Cl_2 氧化成 Fe^{3+}，反应的离子方程式分别为：

$$2Fe^{3+} + Fe = 3Fe^{2+}$$
$$2Fe^{2+} + Cl_2 = 2Fe^{3+} + 2Cl^-$$

铁盐遇到较强的还原剂会被还原成亚铁盐，亚铁盐在较强的氧化剂作用下会被氧化成铁盐，即 Fe^{3+} 和 Fe^{2+} 在一定条件下是可以相互转化的：

$$Fe^{3+} \underset{\text{氧化剂}}{\overset{\text{还原剂}}{\rightleftharpoons}} Fe^{2+}$$

❓ 思考与讨论

（1）Fe、$FeSO_4$ 和 $Fe_2(SO_4)_3$ 三种物质中，哪种物质可做氧化剂，哪种可做还原剂，哪种既可做氧化剂又可做还原剂？举例写出相应反应的化学方程式，并加以说明。

（2）请你用图示的方法归纳 Fe、Fe^{2+} 和 Fe^{3+} 三者之间的相互转化关系，并与同学讨论。

⚙ 方法导引

认识元素及其化合物性质的视角

物质类别和元素价态，是学习元素及其化合物性质的重要认识视角。

基于物质类别和元素价态，可以预测物质的性质。例如，对于 Fe_2O_3，从物质类别来看，它属于金属氧化物，据此可以预测它可能与酸发生反应；从元素价态来看，Fe_2O_3 中铁元素的化合价是 +3 价，为铁元素的高价态，据此可以预测它具有氧化性，可能与具有还原性的物质发生反应。

基于物质类别和元素价态，还可以设计物质间转化的途径。例如，要想从单质铁获得 $FeSO_4$，既可以基于物质类别设计从金属单质与酸反应获得，也可以通过金属单质与盐的置换反应获得；还可以基于元素价态设计单质铁与 +3 价铁反应得到 +2 价铁。

利用覆铜板制作图案

【背景】

电子工业中常用覆铜板（以绝缘板为基材，一面或两面覆以铜箔，经热压而成的一种板状材料）为基础材料制作印刷电路板（如图3-11），印刷电路板广泛用于电视机、计算机、手机等电子产品中。

图3-11　印刷电路板

用覆铜板制作印刷电路板的原理是，利用$FeCl_3$溶液作为"腐蚀液"，将覆铜板上不需要的铜腐蚀。即把预先设计好的电路在覆铜板上用蜡或不透水的物料覆盖，以保护不被腐蚀；然后，把覆铜板放到$FeCl_3$溶液中。

根据工业上制作印刷电路板的原理，我们可以利用覆铜板制作所需要的图案（如图3-12）。

图3-12　利用覆铜板制作图案

【实验】

取一小块覆铜板，用油性笔在覆铜板上画上设计好的图案，然后浸入盛有$FeCl_3$溶液的小烧杯中。过一段时间后，取出覆铜板并用水清洗干净。观察实验现象，并展示制作的图案。

【思考与讨论】

（1）在上述实验中，发生了什么化学反应，生成的主要产物是什么？请运用氧化还原反应的规律进行分析，并尝试写出反应的化学方程式。

（2）为使使用后的"腐蚀液"能得到充分利用，如何处理使用后的"腐蚀液"？

检验食品中的铁元素

【研究目的】

铁是人体必需的微量元素。食用富含铁元素的食品，可以补充人体所需的铁元素。通过化学实验的方法检验食品中的铁元素，体验实验研究的一般过程和化学知识在实际中的应用。

【研究任务】

菠菜、芹菜、黑木耳、蛋黄和动物内脏等食品中富含铁元素。请以"菠菜中铁元素的检验"为例（你也可以选择其他食品）进行研究。

（1）查阅资料。

通过互联网，以"菠菜中铁元素的检验"为关键词搜索相关资料，收集检验菠菜中铁元素的方法。整理并分析资料，为确定实验方案做准备。

（2）确定实验方案。

根据学校的实验条件，确定制备和检验试验样品的实验步骤，准备实验所需的仪器和用品等。

（3）进行实验。

根据实验方案进行实验，检验食品中是否含有铁元素。

下面是可供参考的实验方案。

①取新鲜的菠菜 10 g，将菠菜剪碎后放在研钵中研磨，然后倒入烧杯中，加入 30 mL 蒸馏水，搅拌。将上述浊液过滤，得到的滤液作为试验样品。

②取少许试验样品加入试管中，然后加入少量稀硝酸（稀硝酸具有氧化性），再滴加几滴 KSCN 溶液，振荡，观察现象。

【结果与讨论】

（1）你研究的食品是什么？其中是否含有铁元素？

（2）撰写研究报告，并与同学讨论。

1. 红热的铁与水蒸气反应的化学方程式为＿＿＿＿＿＿＿＿＿＿＿＿＿＿，该反应中氧化剂是＿＿＿＿＿＿＿（填化学式）。将烧至红热的铁丝伸到盛有氯气的集气瓶中，可观察到铁丝剧烈燃烧，产生棕黄色的烟，反应的化学方程式为＿＿＿＿＿＿＿＿＿＿＿＿，该反应中被还原的物质是＿＿＿＿＿＿＿（填化学式）。

2. 除去下列物质中含有的少量杂质，写出除杂所用试剂的化学式和反应的离子方程式：

（1）$FeCl_2$溶液中含有少量的$FeCl_3$杂质；

（2）$FeCl_3$溶液中含有少量的$FeCl_2$杂质；

（3）$FeSO_4$溶液中含有少量的$CuSO_4$杂质。

3. 下列物质中，在一定条件下与铁反应，且铁元素的化合价能变为+3价的是（　　　）。

　　A. 氯化铁溶液　　　　　　B. 氯气　　　　　　　C. 硫酸铜溶液　　　　　D. 稀盐酸

4. 下列离子方程式中，正确的是（　　　）。

　　A. 铁与盐酸反应：$2Fe+6H^+ = 2Fe^{3+}+3H_2\uparrow$

　　B. 氯气与氯化亚铁溶液反应：$2FeCl_2+Cl_2 = 2FeCl_3$

　　C. 氯化铁溶液与铁反应：$Fe^{3+}+Fe = 2Fe^{2+}$

　　D. 氯化铁溶液与氢氧化钠溶液反应：$Fe^{3+}+3OH^- = Fe(OH)_3\downarrow$

5. 现欲探究铁及其化合物的氧化性或还原性，可供选用的试剂有：铁粉、$FeCl_3$溶液、$FeCl_2$溶液、氯水、锌片。请完成以下实验报告。

序号	实验操作	实验现象	离子方程式	实验结论
①	在$FeCl_2$溶液中加入锌片	溶液由浅绿色变为无色	$Zn + Fe^{2+} = Zn^{2+} + Fe$	
②				Fe^{2+}具有还原性
③	在$FeCl_3$溶液中加入足量铁粉	铁粉逐渐溶解，溶液由棕黄色变为浅绿色		Fe^{3+}具有氧化性；Fe具有还原性

6. 各物质间的转化关系如下图所示，请完成下列空白。

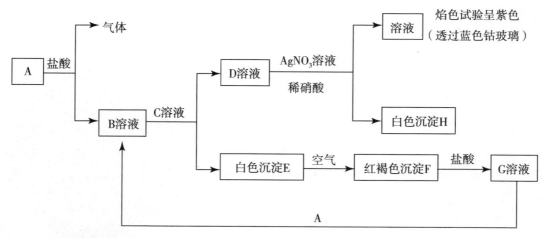

（1）写出B和D的化学式：B＿＿＿＿＿＿＿＿＿；D＿＿＿＿＿＿＿＿＿。

（2）写出E转变成F的化学方程式：＿＿＿＿＿＿＿＿＿＿＿＿＿＿＿＿＿＿＿＿。

（3）向G溶液中加入A，写出反应的离子方程式：＿＿＿＿＿＿＿＿＿＿＿＿＿＿＿＿＿＿。

第二节
金属材料

我们知道，金属材料包括纯金属和它们的合金。日常使用的金属材料，大多数属于合金。这是为什么呢？

合金具有许多优良的物理、化学或机械性能，如合金的硬度、熔点不同于其成分金属，可满足不同的需要。合金的性能可以通过所添加的合金元素的种类、含量和生成合金的条件等来加以调节。因此，尽管目前已经制得的纯金属只有几十种，但由这些纯金属（或金属与非金属）制得的合金已达数千种，大大拓展了金属材料的使用范围和价值。

在纯金属内加入其他元素形成合金以后，结构发生了变化，使合金的性能与纯金属有很大的差异。例如，常见的一些合金的硬度比其成分金属的大，是因为在纯金属内，所有原子的大小和形状都是相同的，原子的排列十分规整；加入或大或小的其他元素的原子后（如图3-13），改变了金属原子有规则的层状排列，使原子层之间的相对滑动变得困难，导致合金的硬度变大。

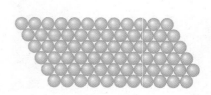

纯金属内原子的
排列十分规整

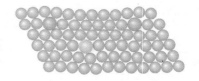

合金内原子层之间的
相对滑动变得困难

图3-13 纯金属与合金的结构比较

一、铁合金

生铁和钢是含碳量不同的两种铁碳合金。生铁的含碳量为2%~4.3%，钢的含碳量为0.03%~2%。由于含碳量不同，钢和生铁在性能上有很大差异。例如，生铁硬度大、抗压，性脆、可以铸造成型，是制造机座、管道的重要材料；钢有良好的延展性，机械性能好，可以锻轧和铸造，广泛用于制造机械和交通工具等。

钢是用量最大、用途最广的合金，根据其化学成分，可分为两大类：碳素钢和合金钢。根据含碳量不同，碳素钢可分为高碳钢、中碳钢和低碳钢，其性能和用途如下所示。

图3-14 下水井盖是由生铁铸造的

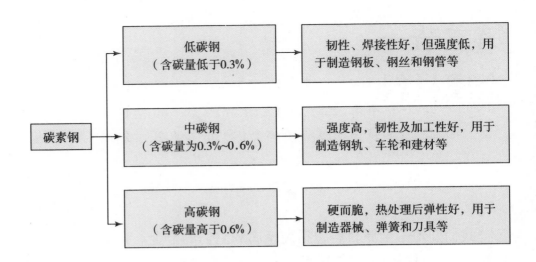

碳素钢	低碳钢 （含碳量低于0.3%）	韧性、焊接性好，但强度低，用于制造钢板、钢丝和钢管等
	中碳钢 （含碳量为0.3%~0.6%）	强度高，韧性及加工性好，用于制造钢轨、车轮和建材等
	高碳钢 （含碳量高于0.6%）	硬而脆，热处理后弹性好，用于制造器械、弹簧和刀具等

图3-15 用不锈钢制造的地铁列车的车体

合金钢也叫特种钢，是在碳素钢里适量地加入一种或几种合金元素，使钢的组织结构发生变化，从而使钢具有各种特殊性能，如强度、硬度大，可塑性、韧性好，耐磨，耐腐蚀等。

不锈钢是最常见的一种合金钢，它的合金元素主要是铬（Cr）和镍（Ni）。常用的不锈钢中含Cr 18%、含Ni 8%（有的不锈钢含Cr 17%~19%，含Ni 8%~13%）。不锈钢在大气中比较稳定，不容易生锈，具有很强的抗腐蚀能力。生活中常见的医疗器材、厨房用具和餐具等，很多都是用不锈钢制造的；有些地铁列车的车体材质也是不锈钢。

 资料卡片

钢中合金元素的主要作用

合金元素	主要作用
铬（Cr）	增强耐磨性和抗氧化性；增强高温强度；提高高碳钢的耐磨性等
锰（Mn）	防止硫引起的脆性；增强钢的强度和韧性等
钼（Mo）	降低脆性；增强高温强度；提高红热时的硬度和耐磨性等
钨（W）	提高高温时的强度和硬度；增强工具钢的耐磨性等
钴（Co）	提高红热时的硬度和耐磨性；用于制造磁性合金等
镍（Ni）	增强低温时的韧性；改变高铬钢的内部结构等
硅（Si）	提高低合金钢的强度和硬度；增强高温时的抗氧化性等

在碳素钢中，由于含碳量不同，高碳钢、中碳钢和低碳钢的性能有很大差异；向碳素钢中加入不同的合金元素，可制得不同性能的合金钢。这对你有什么启示？与同学讨论。

化学与职业

测试工程师

在一些金属材料研究机构，有一批工程师专门从事金属材料的测试工作。他们运用各类高精度化学检测仪器或化学检测方法，对合金等金属材料或冶炼产品等中的微量、常量杂质元素，以及金属材料中C、H、O、N、S的含量等进行定性和定量分析，以获得金属材料的组成及其含量，为一些研究单位和企业提供相关的分析测试数据和质量检测结果等。例如，若需要对某不锈钢进行等级判断，测试工程师可测出其中的某些组成元素及其含量，并根据标准确定不锈钢的等级。

如果你今后想成为一名测试工程师，你必须具备化学相关专业的知识，特别是分析化学的专业知识等。

图3-16　测试工程师在工作

科学·技术·社会

超级钢

超级钢的开发与应用已成为国际上钢铁领域的研究热点，是钢铁领域的一次重大革命。2017年8月24日，我国宣布已经成功完成某种性能优异的超级钢的研制，这一突破性的科技成果随即登上了全球著名学术期刊《科学》杂志，在世界上引起了不小的轰动，这标志着我国的超级钢研究居于世界领先地位。

我国研制的这种超级钢具有优异的强度和延展性的结合。这种超级钢中含Mn 10%、C 0.47%、Al 2%、V 0.7%，这种合金配方价格低廉，可以降低生产成本。此外，这种超级钢强度很大，在应用时能够实现钢板的轻薄化。这对于汽车、航空和航天等领域的轻量化发展具有重要意义，不仅可以节约材料，还可以降低能源消耗和减少环境污染等。

二、铝和铝合金

铝是地壳中含量最多的金属元素。铝是一种活泼金属，在常温下就能与空气中的氧气发生反应，表面生成一层致密的氧化铝薄膜。人们日常用的铝制品通常都是由铝合金制造的，其表面总是覆盖着致密的氧化铝薄膜，这层膜起着保护内部金属的作用。

📑 **资料卡片** --

铝制品的表面处理

在空气中，铝的表面自然形成的氧化膜很薄，耐磨性和抗蚀性还不够强。为了使铝制品适应于不同的用途，常采用化学方法对铝的表面进行处理，如增加膜的厚度，对氧化膜进行着色等。例如，化学氧化（用铬酸作氧化剂）可以使氧化膜产生美丽的颜色等。市场上有不少铝制品是经过这种方法处理的。

⚗ **【实验3-4】** 🌡 ♻ ✋

在一支试管中加入 5 mL 盐酸，再向试管中放入一小块铝片。观察现象。过一段时间后，将点燃的木条放在试管口，你观察到什么现象？

实验表明，铝表面的保护膜和铝均能与盐酸发生反应。反应的化学方程式分别为：

$$Al_2O_3 + 6HCl = 2AlCl_3 + 3H_2O$$
$$2Al + 6HCl = 2AlCl_3 + 3H_2\uparrow$$

⚗ **【实验3-5】** 🌡 ✋

在两支试管中分别加入少量的 NaOH 溶液，然后向其中一支试管中放入一小块铝片，向另一支试管中放入用砂纸仔细打磨过（除去表面的氧化膜）的一小块铝片。观察现象。过一段时间后，将点燃的木条分别放在两支试管口，你观察到什么现象？

可以看到，放入打磨过铝片的试管中立即产生气泡；而放入未打磨的铝片的试管中开始没有气泡，一段

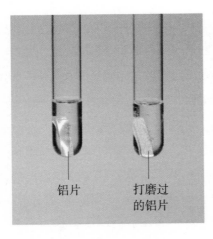

图3-17 将铝片放入 NaOH 溶液中

时间后才产生气泡。两支试管中均放出一种可燃性气体——氢气。铝、氧化铝与NaOH溶液反应的化学方程式分别为[①]：

$$2Al + 2NaOH + 2H_2O = 2NaAlO_2 + 3H_2\uparrow$$

偏铝酸钠

$$Al_2O_3 + 2NaOH = 2NaAlO_2 + H_2O$$

像Al_2O_3这类既能与酸反应生成盐和水，又能与碱反应生成盐和水的氧化物，叫做两性氧化物。

由于Al和Al_2O_3均能与酸、碱反应，因此铝制餐具不宜用来蒸煮或长时间存放酸性或碱性食物。

纯铝的硬度和强度较小，不适合制造机器零件等。向铝中加入少量的合金元素，如Cu、Mg、Si、Mn、Zn及稀土元素等，可制成铝合金。铝合金是目前用途广泛的合金之一。例如，硬铝（一种铝合金）中含Cu 4%、Mg 0.5%、Mn 0.5%、Si 0.7%，它的密度小、强度高，具有较强的抗腐蚀能力，是制造飞机和宇宙飞船的理想材料。

图3-18　硬铝常用于制造飞机的外壳

三、新型合金

近年来，为满足某些尖端技术发展的需要，人们又设计和合成了许多新型合金。例如，氢能是人类未来的理想能源之一，氢能利用存在两大难题：制取和储存。H_2是一种易燃易爆的气体，要利用H_2，关键要解决H_2的安全储存和运输问题。一般情况下，H_2采用气态或液态储存，如在高压下把H_2压入钢瓶，但运送笨重的钢瓶既不方便也不安全。储氢合金是一类能够大量吸收H_2，并与H_2结合成金属氢化物的材料。具有实用价值的储氢合金要求储氢量大，金属氢化物既容易形成，稍稍加热又容易分解，室温下吸、放氢的速率快，如Ti-Fe合金和La-Ni合金等。新型储氢合金材料的研究和开发将为氢气作为能源的实际应用起到重要的推动作用。此外，钛合金、耐热合金和形状记忆合金等新型合金广泛应用于航空航天、生物工程和电子工业等领域。

储氢合金

图3-19　储氢合金可用于以H_2为燃料的汽车

---

　① 严格地说，这两个化学方程式中的$NaAlO_2$应为$Na[Al(OH)_4]$。

图3-20 我国"蛟龙"号载人潜水器最关键的部件——供人活动的耐压球壳是用钛合金制造的

图3-21 喷气式飞机的发动机叶片是由镍、铁、碳和钴组成的镍钴合金制造的，能承受1 100 ℃的高温

科学·技术·社会

用途广泛的稀土金属

在金属元素中，有一类性质相似，并在自然界共生在一起的稀土元素，它们是元素周期表中原子序数从57~71（从镧至镥，称为镧系元素）的15种元素以及钪和钇，共17种元素。稀土金属在科技、生产中有广泛的用途，被誉为新材料的宝库。

稀土金属既可单独使用，也可用于生产合金。在合金中加入适量稀土金属，能大大改善合金的性能。因而，稀土元素又被称为"冶金工业的维生素"。例如，在钢中加入稀土元素，可以增加钢的塑性、韧性、耐磨性、耐热性、耐腐蚀性和抗氧化性等。因此，稀土金属广泛应用在冶金、石油化工、材料工业（电子材料、荧光材料、发光材料、永磁材料、超导材料、染色材料、纳米材料、引火合金和催化剂等）、医药及农业等领域。

我国是稀土资源大国。到目前为止，我国的稀土储量、稀土产量、稀土用量和稀土出口量均居世界第一位。我国化学家徐光宪院士与其研究团队在稀土元素的分离及应用中作出了重要贡献。

随着稀土资源的不断开采，如何合理利用和保护我国的稀土资源，实现可持续发展战略，已经引起社会各界的高度重视。

图3-22 稀土元素镝（Dy）常用于制造硬盘驱动器

四、物质的量在化学方程式计算中的应用

物质是由原子、分子、离子等粒子构成的，物质之间的化学反应也是这些粒子按一定的数目关系进行的。化学方程式中的化学计量数可以明确地表示出化学反应中粒子之间的数目关系。例如：

	2Na		2H$_2$O		2NaOH		H$_2$ ↑
化学计量数之比	2	:	2	:	2	:	1
扩大6.02×10^{23}倍	2×6.02×10^{23}	:	2×6.02×10^{23}	:	2×6.02×10^{23}	:	1×6.02×10^{23}
物质的量之比	2 mol	:	2 mol	:	2 mol	:	1 mol

由此可以看出，化学方程式中各物质的化学计量数之比等于各物质的物质的量之比。因此，物质的量（n）、摩尔质量（M）、物质的量浓度（c）和气体摩尔体积（V_m）应用于化学方程式进行计算时，对于定量研究化学反应中各物质之间量的关系会更加方便。

【例题】 250 mL 2 mol / L的硫酸与足量的铁屑完全反应。计算：

（1）参加反应的铁屑的物质的量；

（2）生成的H$_2$的体积（标准状况）。

【分析】根据硫酸的体积和H$_2$SO$_4$的物质的量浓度，可计算出参加反应的H$_2$SO$_4$的物质的量。然后根据化学反应中各物质之间的化学计量数之比，计算出参加反应的铁屑的物质的量和生成的H$_2$的体积。

【解】参加反应的H$_2$SO$_4$的物质的量为：

$$0.25 \text{ L} \times 2 \text{ mol / L} = 0.50 \text{ mol}$$

（1）　Fe　+　H$_2$SO$_4$　＝　FeSO$_4$　+　H$_2$ ↑

　　　　1　　　　1

　　n(Fe)　0.50 mol

$$\frac{1}{1} = \frac{n(\text{Fe})}{0.50 \text{ mol}}$$

$$n(\text{Fe}) = 0.50 \text{ mol}$$

（2）　Fe　+　H$_2$SO$_4$　＝　FeSO$_4$　+　H$_2$ ↑

　　　　　　　1 mol　　　　　　　　22.4 L

　　　　　　　0.50 mol　　　　　　　V(H$_2$)

$$\frac{1 \text{ mol}}{0.50 \text{ mol}} = \frac{22.4 \text{ L}}{V(\text{H}_2)}$$

$$V(\text{H}_2) = \frac{22.4 \text{ L} \times 0.50 \text{ mol}}{1 \text{ mol}}$$

$$= 11.2 \text{ L}$$

答：（1）参加反应的铁屑的物质的量为0.50 mol；

（2）生成的H$_2$的体积在标准状况下为11.2 L。

1. 目前用量最大、用途最广的合金是＿＿＿＿＿，根据其化学成分，可分为＿＿＿＿＿和＿＿＿＿＿两大类。不锈钢在空气中比较稳定，不易生锈，有很强的抗腐蚀能力，其合金元素主要是＿＿＿＿＿＿。

2. Al_2O_3既可以与＿＿＿＿＿反应，又可以与＿＿＿＿＿反应，它是＿＿＿＿＿氧化物。

3. 向一个铝质易拉罐中充满CO_2，然后往罐中注入足量的浓NaOH溶液，立即用胶布封严罐口。一会儿听到罐内发出"咔、咔"的响声，且易拉罐变瘪；再过一会儿易拉罐又鼓起来恢复原样。请完成下列空白。

 （1）易拉罐变瘪的原因是＿＿＿＿＿＿＿＿＿＿＿＿＿＿＿＿＿＿＿，反应的离子方程式为＿＿＿＿＿＿＿＿＿＿＿＿＿＿＿＿＿＿＿。

 （2）易拉罐又鼓起来的原因是＿＿＿＿＿＿＿＿＿＿＿＿＿＿＿＿＿，反应的离子方程式为＿＿＿＿＿＿＿＿＿＿＿＿＿＿＿＿＿＿＿。

4. 下列关于合金的说法中，正确的是（　　　）。

 A. 合金的熔点一定比各成分金属的低

 B. 在我国使用最早的合金是钢

 C. 生铁的含碳量为0.03%~2%

 D. 稀土金属可以用于生产合金

5. 下列关于铝的说法中，正确的是（　　　）。

 A. 铝的化学性质不活泼

 B. 铝不与酸、碱反应

 C. 常温下铝不与氧气反应

 D. 铝表面容易生成一层致密的氧化铝保护膜

6. 相同质量的两份铝，分别放入足量的盐酸和氢氧化钠溶液中，放出的氢气在同温同压下体积之比为（　　　）。

 A. 1：1　　　　　　　B. 1：6　　　　　　　C. 2：3　　　　　　　D. 3：2

7. 在生产和生活中，钢铁和铝合金已经成为大量使用的金属材料，根据你掌握的知识分析其中的原因。

8. 家庭的厨卫管道内常因留有油脂、毛发、菜渣、纸棉纤维等而造成堵塞，此时可以用一种固体管道疏通剂疏通。这种固体管道疏通剂的主要成分有NaOH和铝粉，请解释其疏通原理。

9. 我国发行的第五套人民币中，1元、5角和1角硬币的材质分别为钢芯镀镍（1元）、钢芯镀铜（5角）和铝合金（1角）。请查阅资料，讨论选择铸造硬币的金属材料时应考虑哪些因素。

10. 把5.4 g Al放入足量氢氧化钠溶液中完全反应，计算生成氢气的体积（标准状况）。

11. 某磁铁矿石样品中含Fe_3O_4 76%，其他不含铁的杂质24%。计算这种矿石中铁的质量分数。某炼铁厂用这种磁铁矿石冶炼生铁。该厂日消耗这种磁铁矿石10 000 t，该厂理论上年产含铁96%的生铁的质量是多少（一年按360天计）？

一、铁及其化合物

1. 从物质类别的视角认识物质间的转化关系

研究金属及其化合物，可以按照"单质""氧化物""氢氧化物""盐"的类别，认识各类物质间的转化关系。例如：

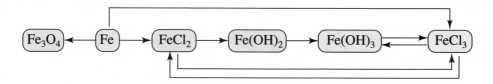

2. 从元素价态的视角认识物质间的转化关系

当某种元素具有不同的化合价时，含有同种元素不同价态的物质间，可以通过氧化还原反应实现转化。例如，+2 价铁和 +3 价铁的相互转化关系如下：

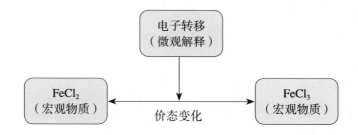

3. 铁离子的检验

在实验室中可以通过化学方法检验 Fe^{3+}，辨识铁盐。请你说明 Fe^{3+} 的检验方法。

二、金属材料

1. 认识化学的价值

以金属材料的发展为例，认识化学在促进社会发展中的重要作用，体会科学、技术、社会之间的相互关系。

2. 金属材料

金属材料包括纯金属和它们的合金。合金具有许多优良的物理、化学或机械性能。合金的性能可以通过所添加的合金元素的种类、含量和生成合金的条件等来加以调节。

1. 人体血液中如果缺乏亚铁离子，就会造成缺铁性贫血。市场出售的某种麦片中含有微量、颗粒细小的还原铁粉，这些铁粉在人体胃酸（胃酸的主要成分是HCl）作用下转化成亚铁盐。写出该反应的离子方程式：_____。

2. 把少量废铁屑溶于过量稀硫酸中，过滤，除去杂质。向滤液中加入适量氯水，再加入过量的氨水，有红褐色沉淀生成。过滤，加热沉淀物至质量不再发生变化，得到红棕色的残渣。上述沉淀和残渣分别为_____和_____（填化学式）。

3. 在含有Fe^{3+}、Cu^{2+}、Cl^-、H^+的混合溶液中加入铁粉，充分反应后，溶液中所剩余的固体可被磁铁吸引。此时溶液中存在较多的阳离子是_____（填离子符号）。

4. 为防止$FeSO_4$溶液变质，应在溶液中加入少量_____，其原因是_____。

5. 把一定量铁粉放入氯化铁溶液中，完全反应后，所得溶液中Fe^{2+}和Fe^{3+}的物质的量浓度恰好相等。则已反应的Fe^{3+}和未反应的Fe^{3+}的物质的量之比为_____。

6. 要想证明某溶液中是否含有Fe^{3+}，下列操作中正确的是（　　　）。

    A. 加入铁粉　　　　　　　　B. 滴加KSCN溶液

    C. 通入氯气　　　　　　　　D. 加入铜片

7. 把铁片放入下列溶液中，铁片溶解，溶液质量增加，但没有气体放出的是（　　　）。

    A. 稀硫酸　　　　　　　　　B. $CuSO_4$溶液

    C. $Fe_2(SO_4)_3$溶液　　　　D. $AgNO_3$溶液

8. 下列离子方程式中，正确的是（　　　）。

    A. 氧化亚铁与稀盐酸反应：$FeO + 2H^+ \!=\!= Fe^{3+} + H_2O$

    B. 向氯化铜溶液中加入氢氧化钠溶液：$Cu^{2+} + OH^- \!=\!= Cu(OH)_2\downarrow$

    C. 氯化铁溶液与铜反应：$Fe^{3+} + Cu \!=\!= Fe^{2+} + Cu^{2+}$

    D. 向氯化亚铁溶液中通入氯气：$2Fe^{2+} + Cl_2 \!=\!= 2Fe^{3+} + 2Cl^-$

9. 为探究某食品包装袋内一小包脱氧剂中的还原铁粉是否变质，分别取少量样品溶于盐酸，再进行下列实验，其中结论正确的是（　　　）。

    A. 若滴加KSCN溶液，溶液变红，说明铁粉变质

    B. 若滴加KSCN溶液，溶液未变红，说明铁粉未变质

    C. 若依次滴加氯水、KSCN溶液，溶液变红，说明铁粉全部变质

    D. 若滴加KSCN溶液，溶液未变红；再滴加氯水，溶液变红，说明铁粉全部变质

10. 氯化铁的用途之一是五金蚀刻，蚀刻产品有眼镜架、钟表、电子元件和标牌等。例如，日常生活中不锈钢广告牌上的图形或文字就是用氯化铁溶液蚀刻而成的。

    （1）请写出用氯化铁溶液蚀刻不锈钢时发生的主要反应的离子方程式。

    （2）铁红是一种常见的红色颜料。请你设计在实验室中由氯化铁制备铁红的实验方案，并写出有关反应的化学方程式。

11. 某工厂的工业废水中含有大量的$FeSO_4$和较多的Cu^{2+}。为了减少污染并变废为宝，工厂计划从该废水中回收$FeSO_4$和金属铜。请根据以下流程图，回答下列问题。

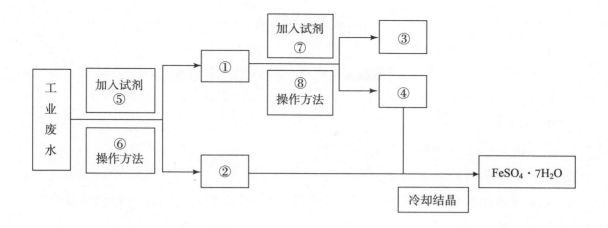

（1）填写下列标号所代表的物质（主要成分的化学式，注意用量）或操作方法：

①_____；②_____；③_____；④_____；

⑤_____；⑥_____；⑦_____；⑧_____。

（2）鉴别溶液④中的金属阳离子时，应滴加的试剂依次是_____，现象依次是_____；请写出该鉴别过程中属于氧化还原反应的离子方程式：_____。

（3）若取2 mL溶液④加入试管中，然后滴加氢氧化钠溶液，产生的现象是_____；此过程涉及反应的化学方程式是_____。

12. 铁是人体必需的微量元素。请查阅资料回答以下问题：人体需要哪种价态的铁元素？哪类物质中的铁元素容易被人体吸收？哪些含铁物质适合做缺铁性贫血患者的补铁剂？

13. 请设计尽可能多的实验方案，在实验室中制备$FeSO_4$。

14. 把5.1 g镁铝合金的粉末放入过量的盐酸中，得到5.6 L H_2（标准状况）。试计算：

（1）该合金中铝的质量分数；

（2）该合金中铝和镁的物质的量之比。

15. 把1.0 mol/L $CuSO_4$溶液和1.0 mol/L $Fe_2(SO_4)_3$溶液等体积混合（假设混合溶液的体积等于混合前两种溶液的体积之和），再向其中加入足量铁粉，经过足够长的时间后，铁粉有剩余。求此时溶液中Fe^{2+}的物质的量浓度。

铁及其化合物的性质

【实验目的】

1. 认识铁及其化合物的重要化学性质。

2. 学会铁离子的检验方法。

3. 认识可通过氧化还原反应实现含有不同价态同种元素的物质间的相互转化。

【实验用品】

试管、胶头滴管。

$CuSO_4$ 溶液、$FeCl_3$ 稀溶液、$FeCl_2$ 溶液、$FeSO_4$ 溶液、$KMnO_4$ 酸性溶液、KSCN溶液、KI溶液、淀粉溶液、蒸馏水、锌片、铜片、铁粉、铁丝。

【实验步骤】

1. 铁及其化合物的性质

（1）铁单质的还原性

在一支试管中加入 2 mL $CuSO_4$ 溶液，再将一段铁丝放入 $CuSO_4$ 溶液中。过一会儿，取出铁丝，观察现象并加以解释。

（2）铁盐的氧化性

①取 3 mL $FeCl_3$ 稀溶液加入试管中，加入几小块铜片，振荡，过一会儿，观察现象。

②在一支盛有 3 mL 水的试管中滴加几滴 $FeCl_3$ 稀溶液，再滴加 3 滴 KI 溶液，观察现象。然后向溶液中滴加 2 滴淀粉溶液，观察现象。

> **① 提示**
>
> KI 是常用的还原剂，能被氧化生成 I_2，淀粉溶液遇 I_2 变蓝。

（3）亚铁盐的氧化性和还原性

①取 3 mL $FeCl_2$ 溶液加入试管中，加入几小块锌片，振荡，过一会儿，观察现象。

②在一支试管中加入少量 $KMnO_4$ 酸性溶液，然后向试管中加入少量 $FeSO_4$ 溶液，观察溶液的颜色变化。当溶液紫色褪去时，再滴加 2 滴 KSCN 溶液，观察现象。

2. 铁离子的检验

（1）在一支试管中加入 2 mL 蒸馏水，再滴加几滴 $FeCl_3$ 稀溶液，然后滴加几滴 KSCN 溶液，观察现象。

（2）在一支试管中加入少量 $FeCl_3$ 稀溶液，然后加入适量铁粉，轻轻振荡片刻，再滴加几滴 KSCN 溶液，观察现象。

【问题和讨论】

以铁屑为原料，如何制备硫酸亚铁晶体？

第四章
物质结构　元素周期律

- 原子结构与元素周期表
- 元素周期律
- 化学键

丰富多彩的物质世界是由一百多种元素组成的。那么，这些元素之间有什么内在联系吗？它们是如何相互结合形成多种多样的物质呢？

最初，人们是通过分类整理的方法对元素之间的联系进行研究的。随着元素周期表的建立和元素周期律的发现，特别是原子结构的奥秘被揭示，人们从微观角度探索元素之间的内在联系，进一步认识了元素性质及其递变规律，并通过研究粒子间的相互作用，认识化学反应的本质；逐步建立了结构决定性质的观念。

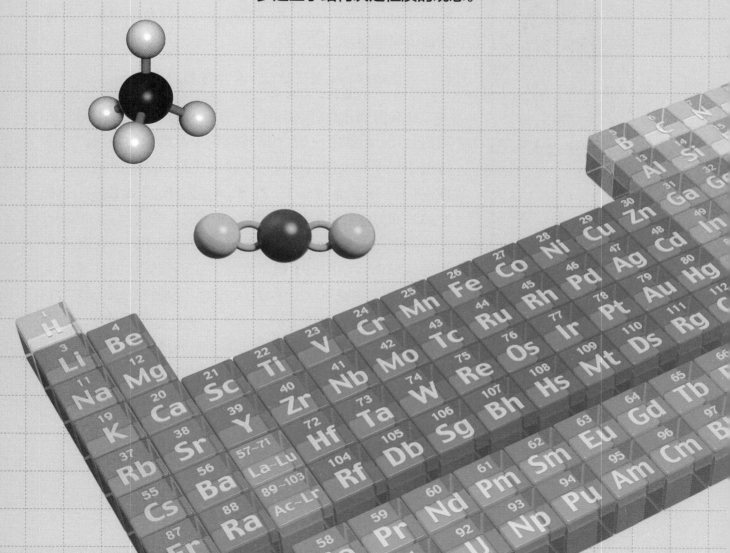

第一节
原子结构与元素周期表

元素周期表
periodic table of elements

元素周期表揭示了元素间的内在联系，使元素构成了一个较为系统的体系。元素周期表的建立成为化学发展史上的重要里程碑之一。20世纪初，原子结构的奥秘被揭示之后，人们对元素周期表的认识更加完善。那么，原子结构与元素周期表之间有怎样的关系呢？

一、原子结构

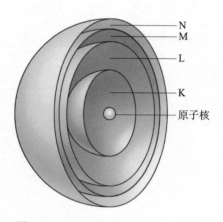

图4-1　电子层模型示意图

我们知道，原子由原子核和核外电子构成，原子核由质子和中子构成。原子的质量主要集中在原子核上，质子和中子的相对质量[①]都近似为1，如果忽略电子的质量，将核内所有质子和中子的相对质量取近似整数值相加，所得的数值叫做质量数。

$$质量数(A) = 质子数(Z) + 中子数(N)$$

在含有多个电子的原子里，电子分别在能量不同的区域内运动。我们把不同的区域简化为不连续的壳层，也称作电子层（有人把这种电子层模型比拟为洋葱式结构，如图4-1），分别用 $n = 1, 2, 3, 4, 5, 6, 7$ 或 K、L、M、N、O、P、Q 来表示从内到外的电子层。

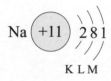

图4-2　钠原子的核外电子排布

在多电子原子中，电子的能量是不相同的。在离核较近的区域内运动的电子能量较低，在离核较远的区域内运动的电子能量较高。由于原子中的电子是处在原子核的引力场中（类似于地球上的万物处于地心引力场中），电子一般总是先从内层排起，当一层充满后再填充下一层。那么，每个电子层最多可以排布多少个电子呢？

---

① 是指对 ^{12}C 原子质量的 1/12（1.66×10^{-27} kg）相比较所得的数值。

下表是稀有气体元素原子的电子层排布，从中你能发现什么规律？请思考并讨论下列问题。

核电荷数	元素名称	元素符号	各电子层的电子数					
			K	L	M	N	O	P
2	氦	He	2					
10	氖	Ne	2	8				
18	氩	Ar	2	8	8			
36	氪	Kr	2	8	18	8		
54	氙	Xe	2	8	18	18	8	
86	氡	Rn	2	8	18	32	18	8

（1）当K层为最外层时，最多能容纳的电子数是多少？除了K层，其他各层为最外层时，最多能容纳的电子数是多少？

（2）次外层最多容纳的电子数是多少？

（3）你能归纳出第 n 层最多能容纳的电子数吗？

（4）请你根据所归纳的规律，用原子结构示意图表示核电荷数为1~20号元素原子的核外电子排布。

通过分析和讨论可以看出，原子核外第 n 层最多能容纳的电子数为 $2n^2$，而且，无论原子有几个电子层，其最外层中的电子数最多只有8个（K层只有2个）。原子最外电子层有8个电子（最外层为K层时，最多只有2个电子）的结构是相对稳定的结构。

实际上，原子核外电子排布的规律，是根据原子光谱和理论分析的结果而得出的，其中也包括从元素周期表得到的启示。

原子结构模型的演变

原子结构模型是科学家根据科学猜想和分析，通过对原子结构的形象描摹而建构的揭示原子本质的认知模型。人类认识原子的历史是漫长的，也是无止境的。下列几种在科学发展不同时期所建构的原子结构模型，代表了人类对原子结构认识的不同阶段，简明形象地表示了人类对原子结构认识逐步深化的演变过程。

道尔顿模型（1803年）：原子是构成物质的基本粒子，它们是坚实的、不可再分的实心球。

汤姆孙原子模型（1904年）：原子是一个平均分布着正电荷的粒子，其中镶嵌着许多电子，中和了正电荷，从而形成了中性原子。

卢瑟福原子模型（1911年）：在原子的中心有一个带正电荷的核，它的质量几乎等于原子的全部质量，电子在它的周围沿着不同的轨道运转，就像行星环绕太阳运转一样。

玻尔原子模型（1913年）：电子在原子核外空间的一定轨道上绕核做高速圆周运动。

电子云模型（1926~1935年）：现代物质结构学说。电子在原子核外很小的空间内做高速运动，其运动规律与一般物体不同，没有确定的轨道。

目前，科学家已经能利用电子显微镜和扫描隧道显微镜摄制显示原子图像的照片。随着现代科学技术的发展，人类对原子的认识过程还会不断深化。

二、元素周期表

图4-3　门捷列夫

原子序数　*atomic number*

历史上，为了寻求各种元素及其化合物间的内在联系和规律性，人们进行了许多尝试。1869年，俄国化学家门捷列夫在前人研究的基础上，将元素按照相对原子质量由小到大依次排列，并将化学性质相似的元素放在一起，制出了第一张元素周期表。

随着化学科学的不断发展，元素周期表中为未知元素留下的空位先后被填满，周期表的形式也变得更加完美。原子结构的奥秘被揭示以后，元素周期表中元素的排序依据由相对原子质量改为原子的核电荷数，周期表也逐渐演变成我们现在常用的这种形式。

按照元素在周期表中的顺序给元素编号，得到原子序数。在发现原子的构成及结构之后，人们发现，原子序数与元素的原子结构之间存在着如下关系：

$$原子序数＝核电荷数＝质子数＝核外电子数$$

在周期表中，把电子层数目相同的元素，按原子序数递增的顺序从左到右排成横行，再把不同横行中最外层电子数相同的元素，按电子层数递增的顺序由上而下排成纵列。

元素周期表有7个横行，18个纵列。每一个横行叫做一个**周期**，每一个纵列叫做一个**族**（8、9、10三个纵列共同组成第Ⅷ族）。

周期　period
族　group

🅀 思考与讨论

观察元素周期表，针对下表中的项目进行思考，并与同学讨论，将讨论结果填写在表中。从表中你能发现周期序数与原子核外电子层数有什么关系吗？

周期序数	起止元素	包括元素种数	核外电子层数
1	H~He	2	1
2			
3			
4			
5			
6			
7	Fr~Og（118号）		7

元素周期表的第一周期最短，只有两种元素，第二、第三周期各有8种元素，前三周期称为短周期；其他周期称为长周期。每一周期中元素的电子层数相同，从左到右原子序数递增，周期的序数就是该周期元素所具有的电子层数。

元素周期表中的族有主族和副族之分。主族元素的族序数后标A，由短周期元素和长周期元素共同构成；副族元素的族序数后标B（除了第Ⅷ族），完全由长周期元素构成[①]。稀有气体元素的原子最外层电子数为8（第一周期的氦最外层电子数为2），元素的化学性质不活泼，

---

① 1989年，IUPAC（国际纯粹与应用化学联合会）建议用1~18列替代原主族、副族等。

通常很难与其他物质发生化学反应，把它们的化合价定为0，因而叫做0族。周期表中有些族的元素有特别的名称，如第ⅠA族（除了氢）叫做碱金属元素，第ⅦA族叫做卤族元素等。

元素周期表的每个方格中，一般都标有元素的基本信息，如原子序数、元素符号、元素名称和相对原子质量等（如图4-4a）。根据需要，有的周期表方格中还标有质量数等信息（如图4-4b）。

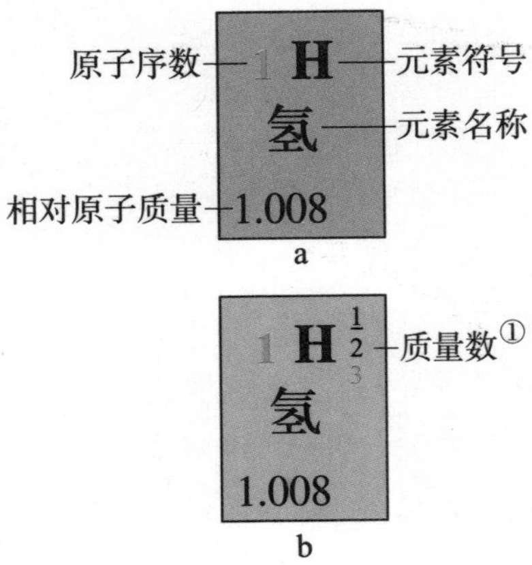

图4-4　元素周期表中的方格

三、核素

在图4-4b中，H的质量数为什么有3个呢？

我们知道，元素是具有相同质子数（核电荷数）的一类原子的总称。也就是说，同种元素原子的原子核中质子数是相同的。而精确的测定结果证明，同种元素原子的原子核中，中子数不一定相同，如氢元素的原子核（如表4-1）。

表4-1　氢元素的不同核素

氢元素的原子核		原子名称	原子符号 $(_Z^A X)$ [2]
质子数(Z)	中子数(N)		
1	0	氕（piē）	$_1^1H$
1	1	氘（dāo）	$_1^2H$ 或 D
1	2	氚（chuān）	$_1^3H$ 或 T

把具有一定数目质子和一定数目中子的一种原子叫做**核素**，如 $_1^1H$、$_1^2H$ 和 $_1^3H$ 就各为一种核素。质子数相同而中子数不同的同一元素的不同原子互称为**同位素**（即同一元素的不同核素互称为同位素），如 $_1^1H$、$_1^2H$ 和 $_1^3H$ 互为同位素。"同位"是指核素的质子数相同，在元素周期表中占有相同的位置。同一元素的不同核素的中子数不同，质量数也不相同。

核素　nuclide
同位素　isotope

---

① 同位素的质量数，加底线指元素丰度（元素在地壳中的平均含量）最大，红色指放射性。根据需要，中学阶段一般不提供图4-4b显示质量数等信息的周期表。

② $_Z^A X$ 代表质量数为A、质子数为Z的X原子。

天然存在的同位素，相互间保持一定的比率。元素的相对原子质量，就是按照该元素各种核素所占的一定百分比计算出来的平均值。许多元素都有同位素。例如，氧元素有 $^{16}_{8}O$、$^{17}_{8}O$ 和 $^{18}_{8}O$ 三种核素；碳元素有 $^{12}_{6}C$、$^{13}_{6}C$ 和 $^{14}_{6}C$ 等核素；铀元素有 $^{234}_{92}U$、$^{235}_{92}U$、$^{238}_{92}U$ 等核素；等等。此外，科学家还利用核反应人工制造出很多种同位素。同位素中，有些具有放射性，称为放射性同位素。同位素在生活、生产和科学研究中有着重要的用途。例如，考古时利用 $^{14}_{6}C$ 测定一些文物的年代，$^{2}_{1}H$ 和 $^{3}_{1}H$ 用于制造氢弹，利用放射性同位素释放的射线育种、给金属探伤、诊断和治疗疾病等。

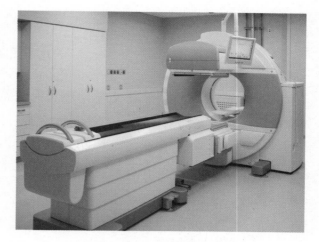

图4-5　放射性同位素应用于诊断和治疗疾病

@ **信息搜索**

通过各种渠道收集资料，了解放射性同位素在能源、农业、医疗、考古等方面的应用。

🜂 **化学与职业**

科技考古研究人员

你可能认为考古人员都是在古墓、遗址用手铲、毛刷等进行发掘工作。其实，在考古工作中经常会用到化学与技术。科技考古就是利用现代科技手段分析古代遗存，再结合考古学方法，探索人类的历史。

在一些与文物、博物馆相关的研究所、高等院校等单位，科技考古研究人员从事着涉及文物年代测定、考古勘探，以及动植物、人骨、陶瓷、金属器物分析等方面的研究工作。例如，考古工作者在研究文物和古迹时，需要精确地知道其年代。1946年，美国芝加哥大学教授利比（W.F.Libby，1908—1980）发明了 $^{14}_{6}C$ 断代法，即利用死亡生物体中 $^{14}_{6}C$ 不断衰变的原理对文物进行年代测定，使考古学家由此可以判断各种史前文物的绝对年代，他因此获得1960年诺贝尔化学奖。当今，考古工作者正是利用 $^{14}_{6}C$ 衰变测定装置（如图4-6），对文物进行

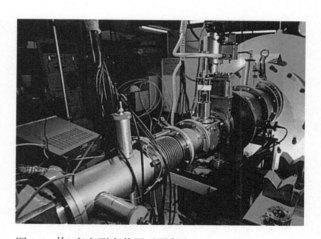

图4-6　$^{14}_{6}C$ 衰变测定装置（局部）

年代测定和研究。此外，考古研究中还利用 $^{13}_{6}C$ 和 $^{15}_{7}N$ 的测定，分析古代人类的食物结构，这对于研究当时的自然环境状况、社会生产力发展及社会文化风俗等具有重要参考价值。

科技新成果在考古研究中的应用，拓展了考古研究方法和研究领域，使科技考古有着较好的发展前景。

元素周期表的发展

18世纪，元素不断被发现，种类越来越多。化学家开始对它们进行分类和整理，以求发现系统的元素体系。1789年，拉瓦锡在《化学概要》一书中提出了第一个元素分类表，此后，人们对元素体系的研究不断深入。1829年，德国化学家德贝赖纳（J.W.Döbereiner，1780—1849）提出了"三素组"的概念，对于探寻元素性质的规律具有启发性。

1867年，俄国化学家门捷列夫在研究中开始触及到元素分类的规律性。为了进一步将元素进行分类，他把当时已经发现的63种元素中相对原子质量相近的元素排列在一起，并进行了反复研究，探索元素之间的规律性。门捷列夫克服了许多困难，终于在1869年2月编制了第一张元素周期表（如图4-7）。

其实早在1864年，德国化学家迈尔（J.L.Meyer，1830—1895）在他的《现代化学理论》一书中已明确指出元素的相对原子质量的数值存在一种规律性，并画出了一张与门捷列夫第一张周期表十分相似的元素表。迈尔在门捷列夫1869年发表周期表之后，又发表了一张更完整的元素周期表。1880年，迈尔坦言道："我没有足够的勇气作出像门捷列夫那样深信不疑的预言。"

门捷列夫编制的第一张元素周期表并不完整，如其中没有稀有气体元素。后来的

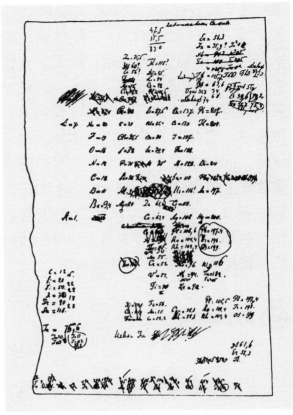

图4-7　门捷列夫编制的第一张元素周期表（手稿）

化学发现终于使门捷列夫元素周期表变得完整。1905年，瑞士化学家维尔纳（A.Werner，1866—1919，1913年诺贝尔化学奖获得者）制成了现代形式的元素周期表。1913年，英国物理学家莫塞莱（H.G.J.Moseley，1887—1915）发现并证明了周期表中元素的原子序数等于原子的核电荷数，使人们对于元素周期表和元素周期律的认识更趋于完善。

四、原子结构与元素的性质

我们知道，金属元素的原子最外层电子一般少于4个，在化学反应中容易失去电子，具有金属性；非金属元素的原子最外层电子一般多于4个，在化学反应中容易得到电

子，具有非金属性。所以人们常说，原子结构决定元素的性质。经常把元素周期表中的同族元素放在一起研究，是因为它们之间存在着某种内在的联系。那么，这种内在的联系是什么呢？我们将从它们的结构和性质的关系来进行探讨。

1. 碱金属元素

碱金属是一类化学性质非常活泼的金属，在自然界中都以化合态存在。

思考与讨论

填写下表中的信息，并思考和讨论下列问题。

族	元素名称	元素符号	核电荷数	原子结构示意图	最外层电子数	电子层数	原子半径[2] nm
碱金属元素[1]	锂			(+3) 2 1			0.152
	钠			(+11) 2 8 1			0.186
	钾			(+19) 2 8 8 1			0.227
	铷			(+37) 2 8 18 8 1			0.248
	铯			(+55) 2 8 18 18 8 1			0.265

（1）在周期表中，从上到下碱金属元素原子的核电荷数、原子半径的变化有什么特点？

（2）观察碱金属元素的原子结构示意图，它们的原子核外电子排布有什么特点？从哪一点能够推断出碱金属元素的化学性质具有相似性？

---

① 碱金属元素还包括钫（Fr），钫是一种放射性元素，在中学阶段不讨论。
② 金属的原子半径指固态金属单质里2个相邻原子核间距离的一半。

◉ 探究 🫖 🧪 🔥 📏 ⚗️ 🧫

碱金属化学性质的比较

【问题和预测】

（1）回忆第二章学过的知识，钠有哪些化学性质？

（2）结合锂、钠和钾的原子结构特点，请你预测锂、钾可能具有哪些与钠相似的化学性质。

> ⚠️ **注意**
>
> 不要近距离俯视坩埚和烧杯！

【实验和观察】

回忆钠与氧气、水反应的实验现象，并观察下列实验（由教师演示）。

（1）将干燥的坩埚加热，同时切取一块绿豆大的钾，用镊子夹取并迅速投到热坩埚中（如图4-8）。继续加热片刻，待钾熔化后立即撤掉酒精灯，观察现象。

（2）在烧杯中加入一些水，滴入几滴酚酞溶液。切取一块绿豆大的钾，用镊子夹取并投入水中（如图4-9），观察现象。

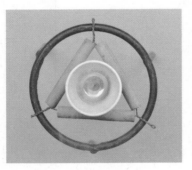

图4-8　钾在空气中燃烧

图4-9　钾与水反应

【分析和结论】

（1）通过实验、观察，讨论并总结钠、钾有哪些相似的化学性质，与你最初根据原子结构特点进行的预测是否一致？

（2）从实验现象比较钾、钠与水反应的难易程度。由此，你能推断出锂与水反应的难易程度吗？

（3）通过比较碱金属与水反应的难易程度，你能发现与它们的原子结构有什么关系吗？由此，你能推断出碱金属元素化学性质的相似性和递变规律吗？

通过大量的实验和研究，人们得出了如下结论：

（1）碱金属元素的化学性质相似。碱金属元素的原子最外层电子数相同，都是1个电子，它们的化学性质相似，都能与氧气[①]等非金属单质以及水反应。例如：

---

① 钾与氧气反应生成多种氧化物，在中学阶段不作介绍。

$$4Li + O_2 \xrightarrow{\triangle} 2Li_2O$$

$$2Na + O_2 \xrightarrow{\triangle} Na_2O_2$$

$$2Na + 2H_2O = 2NaOH + H_2\uparrow$$

$$2K + 2H_2O = 2KOH + H_2\uparrow$$

而且，上述反应的产物中，碱金属元素的化合价都是+1价。

（2）碱金属元素的化学性质具有递变性。随着核电荷数的增加，碱金属元素原子的电子层数逐渐增多，原子半径逐渐增大，原子核对最外层电子的引力逐渐减弱，原子失去最外层电子的能力逐渐增强。即从锂到铯，金属性[1]逐渐增强。例如，碱金属单质与氧气或水反应时，钠的反应比锂剧烈；钾的反应比钠剧烈；铷和铯的反应更加剧烈，它们遇到空气或水都会立即燃烧，遇水甚至会爆炸。也可以说，碱金属元素的化学性质具有差异性。

碱金属单质在物理性质上也表现出一些相似性和规律性。例如，它们都比较柔软，有延展性；密度都比较小，熔点也都比较低，导热性和导电性也都很好，如钠钾合金（室温下呈液态）可用作核反应堆的传热介质。

表4-2 碱金属单质的主要物理性质

碱金属单质	颜色 （常态）	密度 $(g \cdot cm^{-3})$	熔点 ℃	沸点 ℃
Li	银白色	0.534	180.5	1 347
Na	银白色	0.97	97.81	882.9
K	银白色	0.86	63.65	774
Rb	银白色	1.532	38.89	688
Cs	略带金色光泽	1.879	28.40	678.4

[1] 一般情况下，元素的金属性强弱可以从其单质与水（或酸）反应置换出氢的难易程度，以及它们的最高价氧化物的水化物——氢氧化物的碱性强弱来判断。

预测

预测是在已有信息的基础上，依据一定规律和方法对未知事物所进行的一种推测。在化学研究中，可以根据物质的组成、结构和反应规律等，预测元素及其化合物的性质、可能发生的化学反应，并评估所作预测的合理性。

我们可以通过认识元素"位置""结构""性质"之间的内在联系，根据元素的"位置""结构"特点预测和解释元素的性质。例如，钠与钾是 IA 族元素，它们都能与水反应；铷与钠、钾属于同族元素，所以，可预测出铷也能与水反应。

2. 卤族元素

卤族元素（简称卤素）是典型的非金属元素，它们在自然界中都以化合态存在。

表4-3 卤素单质的主要物理性质

卤素①单质	颜色（常态）	密度	熔点℃	沸点℃
F_2	淡黄绿色（气体）	1.69 g/L（15 ℃）	−219.6	−188.1
Cl_2	黄绿色（气体）	3.214 g/L（0 ℃）	−101	−34.6
Br_2	深红棕色（液体）	3.119 g/cm³（20 ℃）	−7.2	58.78
I_2	紫黑色（固体）	4.93 g/cm³	113.5	184.4

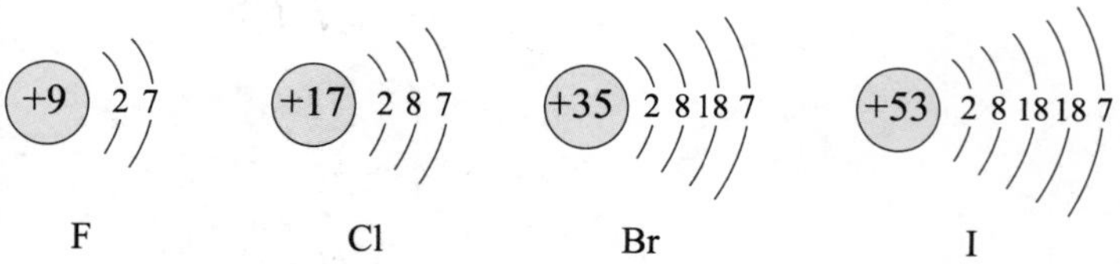

图4-10 卤素原子结构示意图

① 卤素还包括砹（At）和鿬（Ts），砹和鿬都是放射性元素，在中学阶段不讨论。

（1）卤素单质与氢气的反应。

在一定条件下，卤素单质能与氢气反应生成卤化氢。

表4-4　卤素单质与氢气的反应

$H_2 + F_2 = 2HF$	在暗处能剧烈化合并发生爆炸，生成的氟化氢很稳定
$H_2 + Cl_2 \xrightarrow{\text{光照或点燃}} 2HCl$	光照或点燃发生反应，生成的氯化氢较稳定
$H_2 + Br_2 \xrightarrow{\Delta} 2HBr$	加热至一定温度才能反应，生成的溴化氢不如氯化氢稳定
$H_2 + I_2 \underset{\Delta}{\rightleftharpoons} 2HI$	不断加热才能缓慢反应；碘化氢不稳定，在同一条件下同时分解为 H_2 和 I_2，是可逆反应[①]

? 思考与讨论

（1）根据卤素的原子结构，请你试着推测氟、氯、溴、碘在化学性质上表现出的相似性和递变性。

（2）根据卤素单质与氢气的反应事实，讨论随着原子核电荷数的增多，卤素单质与氢气反应的规律性变化。

$$F_2 \quad Cl_2 \quad Br_2 \quad I_2$$
$$\longrightarrow$$

①与氢气反应的难易程度：＿＿＿＿＿＿＿＿＿＿＿＿＿＿＿＿＿＿＿＿。
②生成的氢化物的稳定性：＿＿＿＿＿＿＿＿＿＿＿＿＿＿＿＿＿＿。
③卤素的非金属性强弱[②]：＿＿＿＿＿＿＿＿＿＿＿＿＿＿＿＿＿＿。

（2）卤素单质间的置换反应。

类似于金属与盐溶液的置换反应，卤素单质间也可发生置换反应。例如：

$$2NaBr + Cl_2 = 2NaCl + Br_2$$

通过卤素单质间的置换反应，可以比较卤素单质的氧化性强弱。

----

① "可逆反应"将在第五章介绍。
② 一般情况下，元素的非金属性强弱可以从其最高价氧化物的水化物的酸性强弱，或与氢气生成气态氢化物的难易程度及氢化物的稳定性来判断。

【实验4-1】

分别向盛有4 mL KBr溶液和4 mL KI溶液的两支试管中加入1 mL氯水,振荡,观察溶液的颜色变化,并与氯水的颜色进行比较。写出反应的化学方程式。

向盛有4 mL KI溶液的试管中加入1 mL溴水,振荡,观察溶液的颜色变化,并与溴水的颜色进行比较。写出反应的化学方程式。

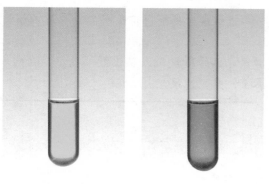

KBr溶液 + 氯水　　　　KI溶液 + 氯水

图4-11　分别向KBr溶液和KI溶液中加入氯水

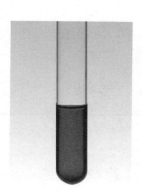

图4-12　向KI溶液中加入溴水

随着核电荷数的增加,卤素单质的氧化性强弱顺序为:

$$F_2 \quad Cl_2 \quad Br_2 \quad I_2$$
氧化性逐渐减弱

通过比较和分析碱金属单质与氧气、水的反应,以及卤素单质与氢气的反应、卤素单质间的置换反应,我们可以看出,元素的性质与原子结构有密切的关系,主要与原子核外电子的排布,特别是最外层电子数有关。原子结构相似的一族元素,它们在化学性质上表现出相似性和递变性。

在元素周期表中,同主族元素从上到下原子核外电子层数依次增多,原子半径逐渐增大,失电子能力逐渐增强,得电子能力逐渐减弱。所以,金属性逐渐增强,非金属性逐渐减弱。

认识元素周期表

【研究目的】

元素周期表自发现至今已有一百多年。随着人们对科学的认识不断深入，元素周期表也演变出多种形式。通过了解形式各异的元素周期表，加深对元素间的关系和其中所蕴含的科学方法的认识。

【研究任务】

（1）调查与整理。

①阅读教科书中的"科学史话——元素周期表的发展"，并通过其他渠道收集相关信息，了解元素周期表发展的几个重要阶段，并认识其中有代表性的元素周期表及其特点。

②收集形式各异的元素周期表并分类整理，选择其中的2~3种，分析其设计的依据和特点。

（2）设计与制作。

通过调查与整理，并根据你对元素知识和分类方法的认识，自己试一试设计和制作元素周期表，说明设计依据和特点。

【结果与讨论】

（1）通过了解元素周期表的发现和发展过程，你得到什么启示？以此为基础，撰写研究报告，并与同学交流。

（2）展示自制的元素周期表，与同学交流。

1. 在 $^{6}_{3}Li$、$^{7}_{3}Li$、$^{23}_{11}Na$、$^{24}_{12}Mg$、$^{14}_{6}C$、$^{14}_{7}N$ 中：

（1）_____和_____互为同位素；

（2）_____和_____的质量数相等，但不能互称同位素；

（3）_____和_____的中子数相等，但质子数不等，所以不是同一种元素。

2. 考古学上常用 $^{14}_{6}C$ 来测定文物的年代。$^{14}_{6}C$ 的原子核内中子数是（　　　）。

A. 6　　　　　　　　B. 8　　　　　　　　C. 14　　　　　　　　D. 20

3. 下列关于 F、Cl、Br、I 的比较，不正确的是（　　　）。

A. 它们的原子核外电子层数随核电荷数的增加而增多

B. 单质的氧化性随核电荷数的增加而减弱

C. 它们的氢化物的稳定性随核电荷数的增加而增强

D. 单质的颜色随核电荷数的增加而加深

4. 2016年 IUPAC 将第117号元素命名为 Ts（中文名"鿬"，音 tián），Ts 的最外层电子数是7。下列说法中，不正确的是（　　　）。

A. Ts 是第七周期第ⅦA族元素　　　　　　B. Ts 的同位素原子具有相同的电子数

C. Ts 在同族元素中非金属性最弱　　　　　D. 中子数为176的 Ts，其核素符号是 $^{176}_{117}Ts$

5. 下表显示了元素周期表中短周期的一部分，①～⑥代表6种短周期元素。

				①	②	③	
④	⑤						⑥

已知③与氢元素能组成生活中最常见的化合物 X。请填写下列空白。

（1）与⑤同族的下一周期元素的原子结构示意图为_____。

（2）④的单质与 X 反应的离子方程式为_____。

（3）⑥的单质与 X 反应的化学方程式为_____。

（4）①、②、③分别与氢元素组成含10个电子的分子的化学式分别为_____、_____、_____。

6. 在元素周期表中找到金、银、铜、铁、锌、钛的位置（周期和族），并指出这些元素的核电荷数。

7. 查阅元素周期表，从每个方格中可以得到哪些信息？以一种元素为例，将你获得的信息用图表示出来。

8. 寻找你家中的食品、调味品、洗涤剂及清洁剂等，查找标签或说明书，看一看成分表中有哪些元素，找到这些元素在周期表中的位置。查阅哪些物品中含有钠元素和钙元素，并试着向你的家人描述它们的一些性质或在食品中的作用。

第二节
元素周期律

通过对碱金属元素、卤素的原子结构和性质的研究，我们已经知道元素周期表中同主族元素的性质有着相似性和递变性。那么，周期表中同周期元素的性质有什么变化规律呢？

一、元素性质的周期性变化规律

表4-5　1~18号元素的原子核外电子排布、原子半径和主要化合价

	原子序数	1							2
第一周期	元素名称	氢							氦
	元素符号	H							He
	核外电子排布	)1							)2
	原子半径/nm	0.037							—①
	主要化合价	+1							0
	原子序数	3	4	5	6	7	8	9	10
第二周期	元素名称	锂	铍	硼	碳	氮	氧	氟	氖
	元素符号	Li	Be	B	C	N	O	F	Ne
	核外电子排布	2 1	2 2	2 3	2 4	2 5	2 6	2 7	2 8
	原子半径/nm	0.152	0.089	0.082	0.077	0.075	0.074	0.071	—
	最高正化合价或最低负化合价	+1	+2	+3	+4 −4	+5 −3	−2	−1	0

---

① 稀有气体元素的原子半径测定与相邻非金属元素的测定依据不同，数据不具有可比性，故没有列出。

	原子序数	11	12	13	14	15	16	17	18
第三周期	元素名称	钠	镁	铝	硅	磷	硫	氯	氩
	元素符号	Na	Mg	Al	Si	P	S	Cl	Ar
	核外电子排布	2 8 1	2 8 2	2 8 3	2 8 4	2 8 5	2 8 6	2 8 7	2 8 8
	原子半径/nm	0.186	0.160	0.143	0.117	0.110	0.102	0.099	—
	最高正化合价或最低负化合价	+1	+2	+3	+4 −4	+5 −3	+6 −2	+7 −1	0

思考与讨论

观察表4-5，思考并讨论：随着原子序数的递增，元素原子的核外电子排布、原子半径和化合价各呈现什么规律性的变化？

原子序数	电子层数	最外层电子数	原子半径的变化（不考虑稀有气体元素）	最高或最低化合价的变化
1~2	1	1→2	—	+1 ⟶ 0
3~10			0.152 nm ⟶ 0.071 nm 大 ⟶ 小	+1 ⟶ +5 −4 ⟶ −1 ⟶ 0
11~18				

结论：

通过上面的讨论我们知道，随着原子序数的递增，元素原子的核外电子排布、原子半径和化合价都呈现周期性的变化。那么，元素的金属性和非金属性是否也随着原子序数的递增而呈现周期性变化呢？我们通过第三周期元素的一些化学性质来探讨这一问题。

第三周期元素性质的递变

【问题讨论】

根据第三周期元素原子的核外电子排布规律，你能推测出该周期元素金属性和非金属性的变化规律吗？

【实验比较】

（1）取一小段镁条，用砂纸除去表面的氧化膜，放到试管中。向试管中加入 2 mL 水，并滴入 2 滴酚酞溶液，观察现象。过一会儿，加热试管至液体沸腾，观察现象。与钠和水的反应相比，镁和水的反应难易程度如何？生成了什么物质？

（2）向试管中加入 2 mL 1 mol/L $AlCl_3$ 溶液，然后滴加氨水，直到不再产生白色絮状 $Al(OH)_3$ 沉淀为止。将 $Al(OH)_3$ 沉淀分装在两支试管中，向一支试管中滴加 2 mol/L 盐酸，向另一支试管中滴加 2 mol/L NaOH 溶液。边滴加边振荡，观察现象。

用 2 mL 1 mol/L $MgCl_2$ 溶液代替 $AlCl_3$ 溶液做上述实验，观察现象，并进行比较。

【信息获取】

（1）$Al(OH)_3$ 在酸或强碱溶液中都能溶解，表明它既能与酸发生反应，又能与强碱溶液发生反应。反应的离子方程式分别如下：

$$Al(OH)_3 + 3H^+ = Al^{3+} + 3H_2O$$
$$Al(OH)_3 + OH^- = AlO_2^- + 2H_2O$$

钠、镁、铝是金属元素，都能形成氢氧化物。NaOH 是强碱，$Mg(OH)_2$ 是中强碱，而 $Al(OH)_3$ 是两性氢氧化物。这说明铝虽是金属，但已表现出一定的非金属性。

（2）硅、磷、硫、氯是非金属元素，其最高价氧化物对应的水化物（含氧酸）的酸性强弱如下表。

非金属元素	Si	P	S	Cl
最高价氧化物对应的水化物（含氧酸）的酸性强弱	H_2SiO_3（硅酸）弱酸	H_3PO_4（磷酸）中强酸	H_2SO_4（硫酸）强酸	$HClO_4$（高氯酸）强酸（酸性比 H_2SO_4 强）

【结论分析】

通过实验比较和信息获取，你得出的结论是什么？与最初的推测一致吗？由此，你对原子结构与元素性质的关系又有哪些认识？

Na　Mg　Al　Si　P　S　Cl　→

金属性逐渐_____，非金属性逐渐_____。

对其他周期主族元素进行同样的研究，一般情况下也会得出类似的结论。在同一周期中，各元素的原子核外电子层数虽然相同，但从左到右，核电荷数依次增多，原子半径逐渐减小，失电子能力逐渐减弱，得电子能力逐渐增强。因此，金属性逐渐减弱，非金属性逐渐增强。元素的金属性和非金属性随着原子序数的递增而呈周期性的变化。

元素周期律
periodic law of elements

通过大量事实和分析，人们归纳出一条规律：元素的性质随着原子序数的递增而呈周期性的变化。这一规律叫做**元素周期律**。元素性质的周期性变化是元素原子的核外电子排布周期性变化的必然结果。

二、元素周期表和元素周期律的应用

元素周期律的发现，对化学的发展有很大的影响。作为元素周期律表现形式的元素周期表，反映了元素之间的内在联系，是学习、研究和应用化学的一种重要工具。

我们可以在周期表中给金属元素和非金属元素分区。如图4-13所示，虚线左下方是金属元素，虚线右上方是非金属元素，最右一个纵列是稀有气体元素。由于元素的金属性与非金属性之间并没有严格的界线，位于分界线附近的元素既能表现出一定的金属性，又能表现出一定的非金属性。在周期表中，主族元素从上到下、从左到右，元素的金属性和非金属性存在着一定的递变规律。

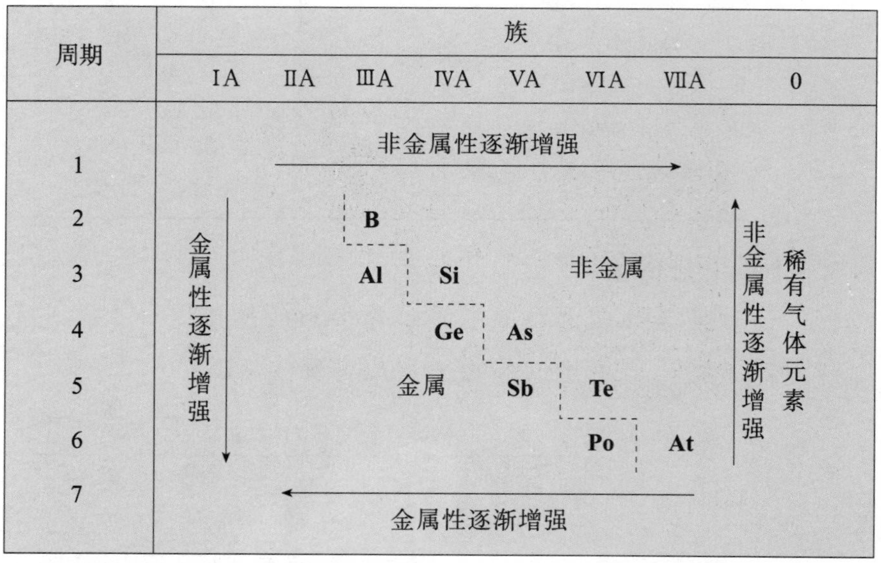

图4-13　元素金属性和非金属性的递变

一般情况下，元素的化合价与元素在周期表中的位置有一定的关系。例如：

1. 主族元素的最高正化合价等于它所处的族序数，因为族序数与最外层电子（价电子[①]）数相同。

2. 非金属元素的最高正化合价，等于原子所能失去或偏移的最外层电子数；而它的负化合价，则等于使原子达到8电子稳定结构所需得到的电子数。所以，非金属元素的最高正化合价和它的负化合价的绝对值之和等于8。

元素在周期表中的位置，反映了元素的原子结构和性质。在认识了元素周期律以后，可以根据元素在周期表中的位置推测其原子结构和性质，并研究元素性质的变化规律；也可以根据元素的原子结构推测其在周期表中的位置和性质。科学家依据元素周期律和周期表，对元素性质进行系统研究，可以为新元素的发现，以及预测它们的原子结构和性质提供线索。

由于周期表中位置靠近的元素性质相近，在一定区域内寻找元素、发现物质的新用途被视为一种相当有效的方法。例如，在周期表中金属与非金属的分界处可以找到半导体材料，如硅、锗、镓等。半导体器件的研制正是开始于锗，后来发展到研制与它同族的硅。又如，通常农药所含有的氟、氯、硫、磷、砷等元素在周期表中位置靠近，对这个区域内的元素进行研究，有助于制造出新品种的农药，如由含砷的有机物发展成对人畜毒性较低的含磷有机物等。人们还在过渡元素中寻找制造催化剂和耐高温、耐腐蚀合金的元素。

图4-14　耐高温、耐腐蚀的铱合金用于制造发动机的火花塞

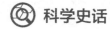

科学史话

门捷列夫的预言

门捷列夫在研究元素周期表时，科学地预言了11种当时尚未发现的元素，为它们在周期表中留下空位。例如，他认为在铝的下方有一个与铝类似的元素"类铝"，并预测了它的性质。1875年，法国化学家发现了这种元素，将它命名为镓。

门捷列夫还预言了锗的存在和性质，多年后也得到了证实。

	预测	锗
相对原子质量	72	72.6
密度 $(g \cdot cm^{-3})$	5.5	5.32
氧化物	MO_2	GeO_2
氧化物的密度 $(g \cdot cm^{-3})$	4.7	4.72
氯化物	MCl_4	$GeCl_4$
氯化物的沸点 $^{\circ}C$	<100	84

[①] 元素的化合价与原子的最外层电子数有密切的关系，所以，元素原子的最外电子层中的电子也叫价电子。有些元素的化合价与原子的次外层或倒数第三层的部分电子有关，这部分电子也叫价电子。

1. 元素周期表的第三周期元素，从左到右，原子半径逐渐_____；元素的金属性逐渐_____，非金属性逐渐_____。该周期元素中，最高价氧化物对应的水化物碱性最强的是_____（填元素符号，下同）；最高价氧化物对应的水化物呈两性的是_____；最高价氧化物对应的水化物酸性最强的是_____。

2. 根据元素周期表中1~20号元素的性质和递变规律，填写下列空白。

   （1）属于金属元素的有_____种，属于稀有气体元素的有_____（填元素符号，下同）。

   （2）第三周期中，原子半径最大的元素是（稀有气体元素除外）_____。

   （3）推测Si、N的非金属性强弱：_____大于_____。

   （4）第三周期中金属性最强的元素与氧气反应，生成的化合物有_____（写出两种化合物的化学式）。

3. 元素周期表中某区域的一些元素多用于制造半导体材料，它们是（　　　）。

   A. 左下方区域的金属元素　　　　　　　B. 金属元素和非金属元素分界线附近的元素

   C. 右上方区域的非金属元素　　　　　　D. 稀有气体元素

4. 比较下列各组元素中金属性或非金属性的强弱。

   （1）Na、K　　　　（2）P、Cl　　　　（3）S、Cl　　　　（4）O、S

5. 根据元素在周期表中的位置，判断下列各组化合物的酸、碱性强弱。

   （1）H_3PO_4 和 HNO_3　　　（2）KOH 和 $Mg(OH)_2$　　　（3）$Al(OH)_3$ 和 $Mg(OH)_2$

6. 2006年，科学家以钙离子撞击锎(Cf)靶，产生了一种超重元素——氭(Og)，其反应可表示为：$^{249}_{98}Cf + ^{48}_{20}Ca \longrightarrow ^{294}_{118}Og + 3^{1}_{0}n$。请判断氭在周期表中的位置，并推测其可能与哪类元素性质相似。

7. 人体必需的一些元素在周期表中的分布情况如下：

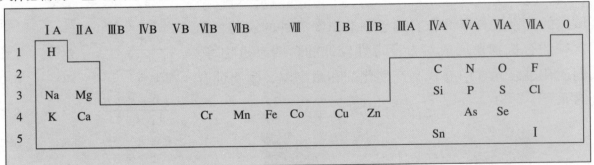

   请选择你感兴趣的几种元素，通过查阅资料或访谈等方式，获取这些元素在人体内主要功能的信息，整理获取的资料并与同学交流。

8. 门捷列夫在他的第一张周期表上留下的空位中的元素"类铝"于1875年由法国化学家布瓦博德朗发现，并命名为镓，而布瓦博德朗当时并未受到门捷列夫预言的启发。门捷列夫在得知这一发现后指出：他相信镓和"类铝"是同一种物质，并认为镓的密度应该是5.9~6.0 g/cm³，而不是布瓦博德朗发表的4.7 g/cm³。当时布瓦博德朗认为只有他本人才拥有镓，门捷列夫怎么会知道这种金属的密度呢？他没有固执己见，重新提纯了镓，最后测得的密度果然是5.94 g/cm³。这一发现使他大为惊讶，他在一篇论文中写道："我以为没有必要再来说明门捷列夫这一理论的巨大意义了。"

   （1）阅读上述资料，你得到什么启示？写一篇小论文与同学交流。

   （2）请你查阅资料，了解门捷列夫还预言了哪些新元素，以及当时这些新元素是如何被确认的，撰写研究报告，并与同学交流。

第三节
化学键

从元素周期表可以看出，到目前为止，已经发现的元素有一百多种。然而，由这一百多种元素的原子构成的物质已超过1亿种。那么，元素的原子之间通过什么作用形成如此丰富的物质呢？

一、离子键

氯化钠是我们熟悉的物质。从原子结构的角度来看，钠原子和氯原子是怎样形成氯化钠的呢？

根据钠原子和氯原子的核外电子排布，钠原子要达到8电子的稳定结构，就需失去1个电子；而氯原子要达到8电子稳定结构则需获得1个电子。钠与氯气反应时，钠原子的最外电子层上的1个电子转移到氯原子的最外电子层上，形成带正电荷的钠离子和带负电荷的氯离子。带相反电荷的钠离子和氯离子，通过静电作用结合在一起，从而形成与单质钠和氯气性质完全不同的氯化钠。人们把这种带相反电荷离子之间的相互作用叫做离子键。

> 离子键　ionic bond

像氯化钠这样，由离子键构成的化合物叫做离子化合物。例如，KCl、$MgCl_2$、$CaCl_2$、$ZnSO_4$、$NaOH$ 等都是离子化合物。通常，活泼金属与活泼非金属形成离子化合物。

离子化合物的形成，可以用电子式表示，如氯化钠的形成过程可表示为：

$$Na{\times} + \cdot\ddot{\underset{\cdot\cdot}{Cl}}{:} \longrightarrow Na^+[{\times}\ddot{\underset{\cdot\cdot}{Cl}}{:}]^-$$

📄 资料卡片
电子式

为方便起见，我们在元素符号周围用"·"或"×"来表示原子的最外层电子（价电子）。这种式子叫做电子式。例如：

$Na{\times}$、$:\ddot{Cl}\cdot$、${\times}Mg{\times}$、$\cdot\ddot{\underset{\cdot\cdot}{S}}\cdot$ 等。

二、共价键

你也许会问：为什么2个氢原子结合成氢分子，2个氯原子结合成氯分子，而不是3个、4个呢？为什么1个氢原

我们以氯原子为例来分析氯分子的形成过程。

氯原子的最外层有7个电子，要达到8电子稳定结构，都需要获得1个电子，所以氯原子间难以发生电子的得失。如果2个氯原子各提供1个电子，形成共用电子对，2个氯原子就都形成了8电子稳定结构：

$$:\!\overset{..}{\underset{..}{Cl}}\!\cdot \ + \ \cdot\overset{..}{\underset{..}{Cl}}\!: \ \longrightarrow \ :\!\overset{..}{\underset{..}{Cl}}\!:\!\overset{..}{\underset{..}{Cl}}\!:$$

像氯分子这样，原子间通过共用电子对所形成的相互作用叫做共价键。

不同种非金属元素化合时，它们的原子之间也能形成共价键。例如，HCl的形成过程可用下式表示：

$$H\times \ + \ \cdot\overset{..}{\underset{..}{Cl}}\!: \ \longrightarrow \ H\times\overset{..}{\underset{..}{Cl}}\!:$$

像HCl这样，以共用电子对形成分子的化合物叫做共价化合物。例如，H_2O、CO_2 等都是共价化合物。

分子具有一定的空间结构，如 CO_2 是直线形，H_2O 呈 V 形，CH_4 呈正四面体形等。通过现代实验手段（如 X 射线衍射法等）可以测定某些分子的结构。

ⓘ 提示

在化学上，常用一根短线"—"表示1对共用电子，如氯分子可以表示为 Cl—Cl。这种图示叫做结构式。

共价键　covalent bond

表4-6　以共价键形成的分子及其结构

分子	电子式	结构式	分子结构模型
H_2	H×H	H—H	
HCl	$H\times\overset{..}{\underset{..}{Cl}}\!:$	H—Cl	
CO_2	$:\!\overset{..}{\underset{..}{O}}\!:\!\times\!C\!\times\!:\!\overset{..}{\underset{..}{O}}\!:$	O=C=O	
H_2O	$H\times\overset{..}{\underset{..}{O}}\!\times H$	H H（O顶）	
CH_4	$H\times\overset{H}{\underset{H}{C}}\!\times H$	H—C—H（上下各H）	

在 H_2、Cl_2 这样的单质分子中，由同种原子形成共价键，两个原子吸引电子的能力相同，共用电子对不偏向任何一个原子，成键的原子因此而不显电性，这样的共价键叫做非极性共价键，简称非极性键。在化合物分子中，不同种原子形成共价键时，因为原子吸引电子的能力不同，共用电子对偏向吸引电子能力强的一方，所以吸引电子能力强的原子一方显负电性，吸引电子能力弱的原子一方显正电性。例如，HCl 分子中，Cl 吸引电子的能力比 H 强，共用电子对偏向 Cl 一方，Cl 一方相对显负电性，H 一方则相对显正电性。像这样共用电子对偏移的共价键叫做极性共价键，简称极性键。H_2O、CO_2 中的共价键也是极性键。

我们知道，原子结合成分子时存在着相互作用。这种作用存在于分子内相邻原子之间，也存在于非直接相邻的原子之间，而相邻原子之间的相互作用比较强烈。我们把这种相邻的原子之间强烈的相互作用叫做化学键。

化学键的形成与原子结构有关，它主要通过原子的价电子的转移来实现。一般的化学物质主要由离子键或共价键结合而成。

表面上看，化学反应是反应物中的原子重新组合为产物分子的一种过程。其实，在化学反应过程中，包含着反应物分子内化学键的断裂和产物分子中化学键的形成。如果用化学键的观点来解释 H_2 与 Cl_2 反应的过程，可以把它想象为以下两个步骤：H_2 和 Cl_2 中的化学键（旧化学键）断裂，生成 H 和 Cl；H 和 Cl 结合成 HCl，形成了 H 和 Cl 之间的化学键 H—Cl（新化学键）。

化学键　chemical bond

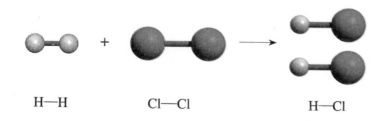

H—H　　　　Cl—Cl　　　　　H—Cl

分析其他化学反应，可以得出类似的结论。研究证实，化学反应的过程，本质上就是旧化学键断裂和新化学键形成的过程。

分子间作用力

我们知道，分子内相邻的原子之间存在着化学键。实际上，分子之间还存在一种把分子聚集在一起的作用力，叫做分子间作用力。荷兰物理学家范德华（J.D.van der Waals，1837—1923）最早研究分子间作用力，所以最初也将分子间作用力称为范德华力。范德华力比化学键弱得多，对物质的熔点、沸点等有影响。NH_3、Cl_2、CO_2 等气体在降低温度、增大压强时能凝结成液态或固态，就是由于存在范德华力。

分子间形成的氢键也是一种分子间作用力，它比化学键弱，但比范德华力强。氢键会使物质的熔点和沸点升高，这是因为固体熔化或液体汽化时必须破坏分子间的氢键，消耗较多能量。

水在液态时，除了单个水分子，还有几个水分子通过氢键结合而形成的缔合水分子 $(H_2O)_n$ 存在。在固态水（冰）中水分子间以氢键结合成排列规整的晶体。由于冰的结构中有空隙，造成体积膨胀、密度减小至低于液态水的密度，所以冰会浮在水面上。氢键在生命现象中也起着重要的作用，如 DNA 的结构和生理活性都与氢键的作用有关等。

练习与应用

1. 写出下列物质的电子式：①KCl _____；②$MgCl_2$ _____；③Cl_2 _____；④N_2 _____；⑤H_2O _____；⑥CH_4 _____。

2. 下列物质中，只含有非极性共价键的是（　　　）。

　　A. NaOH 　　　　　　B. NaCl 　　　　　　C. H_2 　　　　　　D. H_2S

3. 下列物质中，含有极性共价键的是（　　　）。

　　A. 单质碘 　　　　　　B. 氯化镁 　　　　　　C. 溴化钾 　　　　　　D. 水

4. 下列关于化学键的说法中，不正确的是（　　　）。

　　A. 化学键是一种作用力

　　B. 化学键可以使离子相结合，也可以使原子相结合

　　C. 化学反应过程中，反应物分子内的化学键断裂，产物分子中的化学键形成

　　D. 非极性键不是化学键

5. 共价键与离子键有什么不同？请你举例说明。

6. 稀有气体为什么不能形成双原子分子？

7. 用电子式表示下列物质的形成过程。

　　（1）$MgCl_2$ 　　　（2）Br_2

8. 下列分子中，哪些是以极性键结合的，哪些是以非极性键结合的？

　　（1）F_2 　　（2）O_2 　　（3）NH_3 　　（4）CH_4 　　（5）CO_2

9. 现有下列物质：HCl、CO_2、H_2O、H_2、NaOH、Cl_2、NaF、CH_4、$MgCl_2$、CaO。请回答下列问题。

　　（1）这些物质中分别存在哪些类型的化学键？

　　（2）哪些物质属于离子化合物？哪些物质属于共价化合物？

一、认识原子结构、元素的性质及元素在周期表中的位置之间的关系

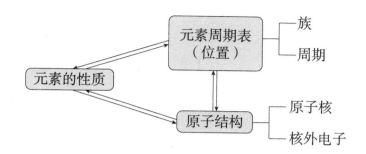

根据元素在周期表中的位置和原子结构，可以分析、解释和预测元素的性质。

元素（以钾为例）

位置	族（ⅠA）	周期（4）
结构	最外层电子数（1） 与已知同族元素钠相同	电子层数（4） 比已知同族元素钠多
性质 （预测）	相似性 单质性质活泼， 能与 O_2、H_2O 反应	递变性 与钠相比，易与 O_2、H_2O 反应，金属性增强……

金属性

二、认识原子结构、元素的性质呈现周期性变化的规律

  元素周期律是元素的性质随着原子序数的递增而呈现周期性变化的规律，主要体现在原子核外电子排布、原子半径、金属性、非金属性等的周期性变化。元素性质周期性变化的实质是元素原子核外电子排布的周期性变化。

  元素周期律和周期表体现了对元素的科学分类方法，以及结构决定性质的化学观念。其重要意义，还在于它从自然科学方面有力地论证了事物变化中量变引起质变的规律性，揭示出复杂的表象中蕴含着规律等科学观念。

周期	族							
	IA	IIA	IIIA	IVA	VA	VIA	VIIA	0
1	③②①金属性逐渐 / 原子半径逐渐 / 核外电子层数依次		①最外层电子数依次＿＿＿＿＿＿ ②原子半径逐渐＿＿＿＿＿＿ ③非金属性逐渐＿＿＿＿＿＿					③②①非金属性逐渐 / 原子半径逐渐 / 核外电子层数依次
2			B					
3			Al	Si	非金属			
4				Ge	As			
5			金属		Sb	Te		
6						Po	At	
7			①最外层电子数依次＿＿＿＿＿＿ ②原子半径逐渐＿＿＿＿＿＿ ③金属性逐渐＿＿＿＿＿＿					

三、从粒子间的相互作用来认识物质及其变化

在原子结构的基础上，建立了化学键的概念，从而使我们可以从粒子间相互作用的视角，认识元素的原子如何构成物质，以及化学反应中物质变化的实质。

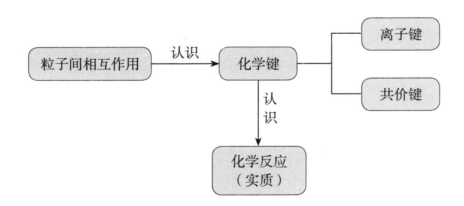

1. 下表列出了A~R 9种元素在周期表中的位置：

周期	族							
	ⅠA	ⅡA	ⅢA	ⅣA	ⅤA	ⅥA	ⅦA	0
2				E		F		
3	A	C	D				G	R
4	B						H	

请回答下列问题。

（1）这9种元素分别为：A_____，B_____，C_____，D_____，E_____，F_____，G_____，H_____，R_____。其中化学性质最不活泼的是_____。

（2）D元素的最高价氧化物对应的水化物与氢氧化钠反应的离子方程式是_____。

（3）A、B、C三种元素按原子半径由大到小的顺序排列为_____。

（4）F元素氢化物的化学式是_____，该氢化物在常温下与B发生反应的化学方程式是_____，所得溶液的pH_____7。

（5）H元素与A元素形成化合物的化学式是_____，高温灼烧该化合物时，火焰呈_____色。

2. 雷雨天闪电时空气中有O_3生成。下列说法中，正确的是（　　）。

A. O_2和O_3互为同位素

B. O_2和O_3的相互转化是物理变化

C. 在相同的温度和压强下，等体积的O_2和O_3含有相同的分子数

D. 等物质的量的O_2和O_3含有相同的质子数

3. Se是人体必需的微量元素。下列关于$^{78}_{34}Se$和$^{80}_{34}Se$的说法中，正确的是（　　）。

A. $^{78}_{34}Se$和$^{80}_{34}Se$互为同位素

B. $^{78}_{34}Se$和$^{80}_{34}Se$都含有34个中子

C. $^{78}_{34}Se$和$^{80}_{34}Se$分别含有44个和46个质子

D. $^{78}_{34}Se$和$^{80}_{34}Se$含有不同的电子数

4. 下列关于物质性质的比较，不正确的是（　　）。

A. 酸性强弱：$HIO_4 > HBrO_4 > HClO_4$

B. 原子半径大小：Na > S > O

C. 碱性强弱：$KOH > NaOH > LiOH$

D. 金属性强弱：Na > Mg > Al

5. 右图是部分短周期元素的单质及其化合物（或其溶液）的转化关系。已知B、C、D是非金属单质，且在常温常压下都是气体，D常用于自来水的杀菌、消毒；化合物G的焰色试验呈黄色，化合物F通常状况下呈气态。

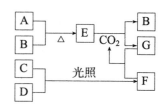

请回答下列问题。

（1）A、B、C、D、E、F、G各为什么物质？

（2）写出下列物质间反应的化学方程式：A和B；E和CO_2。

（3）写出化合物G与F反应的离子方程式。

6. 请查阅铯在周期表中的位置，预测铯的性质，并回答下列问题。

（1）铯原子的最外层电子数是多少？

（2）铯和钾比较，谁的熔点高？

（3）铯与水反应时，可能观察到什么现象？

（4）铯和钾比较，谁的金属性强？试解释你的答案。

（5）在实验室中应如何储存铯？

（6）硝酸铯是离子化合物还是共价化合物？

7. 在元素周期表中，氧、硫、硒、碲4种元素属于第ⅥA族元素（又称氧族元素），请回答下列问题。

（1）查阅资料，填写下表中的空白。

元素名称	元素符号	核电荷数	原子结构示意图	单质				氢化物			氧化物的化学式	氧化物的水化物的化学式
				熔点℃	沸点℃	密度（g·cm⁻³）	化学式	化合条件	稳定性变化规律			
氧	O	8					H_2O	点燃			—	—
硫	S	16						加热			SO_2 SO_3	
硒	Se	34		217	684.9	4.81		加热				
碲	Te	52	(+52) 2 8 18 18 6	449.8	989.9	6.24		不直接化合				

（2）根据上表中的数据，找出氧、硫、硒、碲的熔点、沸点和密度的变化规律。

（3）若要研究氧、硫、硒、碲4种元素非金属性强弱的变化规律，你认为可从哪些方面入手？

8. 门捷列夫曾预测镓、钪、锗元素的存在及其性质，三种元素后来被发现，且性质与预测相吻合；莫塞莱也曾预测锝、钷、铪、铼等元素的存在，这些元素后来也分别被发现。到目前为止，元素周期表的第七周期已经被填满。你认为周期表是否还能拓展？请你设想一下，如果发现119号元素，它应该位于周期表的什么位置，可能具有什么性质？你对元素周期表有什么新的认识？

9. 某种牛奶的营养成分表如右图所示（NRV%是指每100 g食品中营养素的含量占该营养素每日摄入量的比例）。

（1）请查阅资料，了解牛奶中的钙是以什么形式存在的。

（2）请查阅元素周期表，了解钙的有关信息，画出钙的原子结构示意图。

（3）已知与钙同族的镁能与O_2、H_2O反应。请你参照第111页"整理与提升"的认识模型示例，或自己设计图示，推测钙的性质，并与同学交流。

（4）请你设计实验，比较镁、钙与水反应的难易程度。

（5）请结合钙的化学性质解释牛奶中钙的存在形式。

营养成分表		
项目	每100 g	NRV%
能量	309 kJ	4%
蛋白质	3.6 g	6%
脂肪	4.4 g	7%
碳水化合物	5.0 g	2%
钠	65 mg	3%
钙	120 mg	15%

同周期、同主族元素性质的递变

【实验目的】

1. 加深对同周期、同主族元素性质递变规律的认识。
2. 体会元素周期表和元素周期律在学习元素化合物知识中的重要作用。

【实验用品】

试管、试管夹、试管架、量筒、胶头滴管、酒精灯、白色点滴板、镊子、砂纸、火柴。

镁条、新制的氯水、溴水、$NaBr$ 溶液、NaI 溶液、$MgCl_2$ 溶液、$AlCl_3$ 溶液、1 mol/L $NaOH$ 溶液、酚酞溶液。

【实验步骤】

1. 同主族元素性质的递变

（1）在点滴板的3个孔穴中分别滴入3滴 $NaBr$ 溶液、NaI 溶液和新制的氯水，然后向 $NaBr$ 溶液和 NaI 溶液中各滴入3滴新制的氯水。观察颜色变化，并与氯水的颜色进行比较。写出反应的化学方程式。

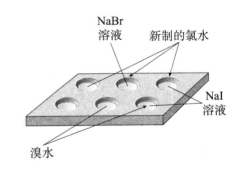

（2）在点滴板的两个孔穴中分别滴入3滴 NaI 溶液和溴水，然后向 NaI 溶液中滴入3滴溴水。观察颜色变化，并与溴水的颜色进行比较。写出反应的化学方程式。

2. 同周期元素性质的递变

（1）通过钠、镁与水的反应，比较钠和镁的金属性强弱。

①回忆钠与水反应的实验，写出实验现象和化学方程式。

②设计实验，比较镁与冷水、热水的反应，观察并记录实验现象。

（2）设计实验，通过 $MgCl_2$、$AlCl_3$ 与碱的反应，比较 $Mg(OH)_2$、$Al(OH)_3$ 的碱性强弱，以此说明镁和铝的金属性强弱。

【问题和讨论】

1. 实验中所用的氯水为什么要用新制的？
2. 通过上面的两组实验，你能得出什么结论？你对原子结构与元素性质的关系及元素周期律（表）有什么新的认识？

附录 I

实验室突发事件的应对措施和常见废弃物的处理方法

实验室突发事件的应对措施

1. 烫伤和烧伤

轻微烫伤或烧伤时，可先用洁净的冷水处理，降低局部温度，然后涂上烫伤药膏（若有水泡，尽量不要弄破）。严重时需及时就医。

2. 创伤

用药棉把伤口清理干净（伤口处若有碎玻璃片，先要小心除去），然后用双氧水或碘酒擦洗，最后用创可贴外敷。

3. 酸或碱等腐蚀性药品灼伤

如果不慎将酸沾到皮肤上，应立即用大量水冲洗，然后用3%~5%的 $NaHCO_3$ 溶液冲洗；如果不慎将碱沾到皮肤上，应立即用大量水冲洗，然后涂上1%的硼酸。

如果有少量酸（或碱）滴到实验桌上，应立即用湿抹布擦净，然后用水冲洗抹布。

4. 着火

一旦发生火情，应立即切断室内电源，移走可燃物。如果火势不大，可用湿布或石棉布覆盖火源以灭火；火势较猛时，应根据具体情况，选用合适的灭火器进行灭火，并立即与消防部门联系，请求救援。

如果身上的衣物着火，不可慌张乱跑，应立即用湿布灭火；如果燃烧面积较大，应躺在地上翻滚以达到灭火的目的。

常见废弃物的处理方法

1. 废液的处理

（1）对于酸、碱、氧化剂或还原剂的废液，应分别收集。在确定酸与碱混合、氧化剂与还原剂混合无危险时，可用中和法或氧化还原法，每次各取少量分次混合后再排放。

（2）对于含重金属（如铅、汞或镉等）离子的废液，可利用沉淀法进行处理。将沉淀物（如硫化物或氢氧化物等）从溶液中分离，并作为废渣处理；在确定溶液中不含重金属离子后，将溶液排放。

（3）对于有机废液，具有回收利用价值的，可以用溶剂萃取，分液后回收利用，或直接蒸馏，回收特定馏分。不需要回收利用的，可用焚烧法处理（注意：含卤素的有机废液焚烧后的尾气处理具有特殊性，应单独处理）。

2. 废渣的处理

（1）易燃物如钠、钾、白磷等若随便丢弃易引起火灾，中学实验室中可以将未用完的钠、钾、白磷等放回原试剂瓶。

（2）强氧化物如 $KMnO_4$、$KClO_3$、Na_2O_2 等固体不能随便丢弃，可配成溶液或通过化学反应将其转化为一般化学品后，再进行常规处理。

（3）对于实验转化后的难溶物或含有重金属的固体废渣，应当集中送至环保单位进一步处理。

附录II

一些化学品安全使用标识

联合国《化学品分类及标记全球协调制度》（简称 GHS）中的标准符号被我国国家标准（GB 13690—2009）采用，以方便化学品的贸易与运输。

GHS标准符号	示意	运输用标识举例	示意
	易燃类物质		易燃气体
			易燃液体
			易燃固体
			暴露在空气中自燃的物质
			遇水放出易燃气体的物质
			有机过氧化物

GHS标准符号	示意	运输用标识举例	示意
	氧化性物质	5.1	无机氧化剂
	爆炸类物质	1.1 * 1	爆炸物，有整体爆炸危险
	腐蚀类物质	8	腐蚀金属或严重灼伤皮肤、损伤眼睛的物质
	加压气体	2	非毒性且不易燃的加压气体
	毒性物质	6	具有急性毒性的物质（若为气体，"6"改为"2"）
	警示	无对应运输标识，臭氧层的警示	可以表示轻度危害健康或危害
	健康危险	无对应运输标识，危害	可以表示此物质对健康存在危害
	环境危害	无对应运输标识，危害	可以表示此物质对环境存在危害

注：1. 以上运输用标识均参考我国2013年发布的国家标准（GB 30000）。
2. 运输用标识中的底色、线条、数字等指明了其具体的危险性。
3. 运输用标识中的数字为危险品货物分类号，具体可以参见国家标准（GB 6944—2012）。

附录Ⅲ

名词索引

附录IV

部分酸、碱和盐的溶解性表（室温）

阳离子	阴离子				
	OH⁻	NO₃⁻	Cl⁻	SO₄²⁻	CO₃²⁻
H^+		溶、挥	溶、挥	溶	溶、挥
NH_4^+	溶、挥	溶	溶	溶	溶
K^+	溶	溶	溶	溶	溶
Na^+	溶	溶	溶	溶	溶
Ba^{2+}	溶	溶	溶	不	不
Ca^{2+}	微	溶	溶	微	不
Mg^{2+}	不	溶	溶	溶	微
Al^{3+}	不	溶	溶	溶	—
Mn^{2+}	不	溶	溶	溶	不
Zn^{2+}	不	溶	溶	溶	不
Fe^{2+}	不	溶	溶	溶	不
Fe^{3+}	不	溶	溶	溶	—
Cu^{2+}	不	溶	溶	溶	—
Ag^+	—	溶	不	微	不

说明："溶"表示那种物质可溶于水，"不"表示不溶于水，"微"表示微溶于水，"挥"表示挥发性，"—"表示那种物质不存在或遇到水就分解了。

附录V

一些常见元素中英文名称对照表

元素符号	中文名称（拼音）	英文名	元素符号	中文名称（拼音）	英文名
Ag	银（yín）	silver	Al	铝（lǚ）	aluminum
Ar	氩（yà）	argon	Au	金（jīn）	gold
B	硼（péng）	boron	Ba	钡（bèi）	barium
Be	铍（pí）	beryllium	Br	溴（xiù）	bromine
C	碳（tàn）	carbon	Ca	钙（gài）	calcium
Cl	氯（lǜ）	chlorine	Co	钴（gǔ）	cobalt
Cr	铬（gè）	chromium	Cu	铜（tóng）	copper
F	氟（fú）	fluorine	Fe	铁（tiě）	iron
Ga	镓（jiā）	gallium	Ge	锗（zhě）	germanium
H	氢（qīng）	hydrogen	He	氦（hài）	helium
Hg	汞（gǒng）	mercury	I	碘（diǎn）	iodine
K	钾（jiǎ）	potassium	Kr	氪（kè）	krypton
Li	锂（lǐ）	lithium	Mg	镁（měi）	magnesium
Mn	锰（měng）	manganese	N	氮（dàn）	nitrogen
Na	钠（nà）	sodium	Ne	氖（nǎi）	neon
Ni	镍（niè）	nickel	O	氧（yǎng）	oxygen
P	磷（lín）	phosphorus	Pb	铅（qiān）	lead
Pt	铂（bó）	platinum	Ra	镭（léi）	radium
Rn	氡（dōng）	radon	S	硫（liú）	sulphur
Sc	钪（kàng）	scandium	Se	硒（xī）	selenium
Si	硅（guī）	silicon	Sn	锡（xī）	tin
Sr	锶（sī）	strontium	Ti	钛（tài）	titanium
U	铀（yóu）	uranium	V	钒（fán）	vanadium
W	钨（wū）	tungsten	Xe	氙（xiān）	xenon
Zn	锌（xīn）	zinc			

相对原子质量表
（按照元素符号的字母次序排列）

元素符号	名称	相对原子质量	元素符号	名称	相对原子质量	元素符号	名称	相对原子质量
Ac	锕	[227]	Ge	锗	72.63(1)	Po	钋	[209]
Ag	银	107.868 2(2)	H	氢	[1.007 84;1.008 11]	Pr	镨	140.907 65(2)
Al	铝	26.981 538 6(8)	He	氦	4.002 602(2)	Pt	铂	195.084(9)
Am	镅	[243]	Hf	铪	178.49(2)	Pu	钚	[244]
Ar	氩	39.948(1)	Hg	汞	200.59(2)	Ra	镭	[226]
As	砷	74.921 60(2)	Ho	钬	164.930 32(2)	Rb	铷	85.467 8(3)
At	砹	[210]	Hs	𬭶	[277]	Re	铼	186.207(1)
Au	金	196.966 569(4)	I	碘	126.904 47(3)	Rf	𬬻	[265]
B	硼	[10.806;10.821]	In	铟	114.818(3)	Rg	𬬡	[280]
Ba	钡	137.327(7)	Ir	铱	192.217(3)	Rh	铑	102.905 50(2)
Be	铍	9.012 182(3)	K	钾	39.098 3(1)	Rn	氡	[222]
Bh	𬭛	[270]	Kr	氪	83.798(2)	Ru	钌	101.07(2)
Bi	铋	208.980 40(1)	La	镧	138.905 47(7)	S	硫	[32.059;32.076]
Bk	锫	[247]	Li	锂	[6.938;6.997]	Sb	锑	121.760(1)
Br	溴	79.904(1)	Lr	铹	[262]	Sc	钪	44.955 912(6)
C	碳	[12.009 6;12.011 6]	Lu	镥	174.966 8(1)	Se	硒	78.96(3)
Ca	钙	40.078(4)	Lv	鉝	[293]	Sg	𬭳	[271]
Cd	镉	112.411(8)	Mc	镆	[288]	Si	硅	[28.084;28.086]
Ce	铈	140.116(1)	Md	钔	[258]	Sm	钐	150.36(2)
Cf	锎	[251]	Mg	镁	24.305 0(6)	Sn	锡	118.710(7)
Cl	氯	[35.446;35.457]	Mn	锰	54.938 045(5)	Sr	锶	87.62(1)
Cm	锔	[247]	Mo	钼	95.96(2)	Ta	钽	180.947 88(2)
Cn	鿔	[285]	Mt	䥑	[276]	Tb	铽	158.925 35(2)
Co	钴	58.933 195(5)	N	氮	[14.006 43;14.007 28]	Tc	锝	[98]
Cr	铬	51.996 1(6)	Na	钠	22.989 769 28(2)	Te	碲	127.60(3)
Cs	铯	132.905 451 9(2)	Nb	铌	92.906 38(2)	Th	钍	232.038 06(2)
Cu	铜	63.546(3)	Nd	钕	144.242(3)	Ti	钛	47.867(1)
Db	𬭊	[268]	Ne	氖	20.179 7(6)	Tl	铊	[204.382;204.385]
Ds	𫟼	[281]	Nh	鉨	[284]	Tm	铥	168.934 21(2)
Dy	镝	162.500(1)	Ni	镍	58.693 4(4)	Ts	鿬	[294]
Er	铒	167.259(3)	No	锘	[259]	U	铀	238.028 91(3)
Es	锿	[252]	Np	镎	[237]	V	钒	50.941 5(1)
Eu	铕	151.964(1)	O	氧	[15.999 03;15.999 77]	W	钨	183.84(1)
F	氟	18.998 403 2(5)	Og	鿫	[294]	Xe	氙	131.293(6)
Fe	铁	55.845(2)	Os	锇	190.23(3)	Y	钇	88.905 85(2)
Fl	𫓧	[289]	P	磷	30.973 762(2)	Yb	镱	173.054(5)
Fm	镄	[257]	Pa	镤	231.035 88(2)	Zn	锌	65.38(2)
Fr	钫	[223]	Pb	铅	207.2(1)	Zr	锆	91.224(2)
Ga	镓	69.723(1)	Pd	钯	106.42(1)			
Gd	钆	157.25(3)	Pm	钷	[145]			

注：1. 相对原子质量录自国际纯粹与应用化学联合会（IUPAC）公布的"标准相对原子质量2009"，以 $^{12}C=12$ 为基准。

2. 相对原子质量加方括号的为放射性元素半衰期最长的同位素的质量数。

3. 相对原子质量末尾数的不确定度加注在其后的括号内。

4. [a;b] 表示该元素的相对原子质量依据其同位素丰度变化而介于a和b之间。

后　记

本册教科书是人民教育出版社课程教材研究所化学课程教材研究开发中心依据教育部《普通高中化学课程标准（2017年版）》编写的，经国家教材委员会2019年审查通过。

本册教科书的编写，集中反映了我国十余年来普通高中课程改革的成果，吸取了2004年版《普通高中课程标准实验教科书 化学》的编写经验，凝聚了参与课改实验的教育专家、学科专家、教材编写专家、教研人员和一线教师，以及教材设计装帧专家的集体智慧。本册教科书的整体设计是吕旻、李宏庆，插图绘制是郭威、郝金健，摄影是朱京。

我们感谢2004年版《普通高中课程标准实验教科书 化学》的编写人员宋心琦、郑长龙、李文鼎、王作民。特别感谢为本册教科书中化学实验的验证和拍摄提供支持的中央民族大学附属中学和北京市第五十五中学。

我们感谢所有对教科书的编写、出版、试教等提供过帮助与支持的同仁和社会各界朋友。

本册教科书出版之前，我们通过多种渠道与教科书选用作品（包括照片、画作）的作者进行了联系，得到了他们的大力支持。对此，我们表示衷心的感谢！恳请未联系到的作者与我们联系，以便及时支付稿酬。

我们真诚地希望广大教师、学生及家长在使用本册教科书的过程中提出宝贵意见。我们将集思广益，不断修订，使教科书趋于完善。

联系方式

电话：010-58758866

电子邮箱：jcfk@pep.com.cn

人民教育出版社　课程教材研究所

化 学 课 程 教 材 研 究 开 发 中 心

2019年4月

谨向为本书提供照片的单位和人士致谢

第一章章图 梁琰/图1-16右下图 李文鼎/图1-17 《高校化学IA新訂版》 実教出版/图3-3 《中国通史》第一卷（彩图版） 海燕出版社/图3-16 刘春/图3-19 《高等学校改訂新化学IB》 第一学習社/图4-6 《化学1》 東京書籍/39页下图、图2-18、图3-20 中国新闻图片网/绪言图1、绪言图3、图1-2、图1-6、图2-11、71页图、图3-18、图3-22、图4-14 东方IC